BERLITZ®

ANTILLES FRANÇAISES

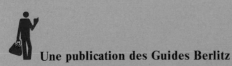

Une publication des Guides Berlitz

Comment se servir de ce guide

● Toutes les indications et tous les conseils utiles avant et pendant votre séjour aux Antilles sont regroupés à partir de la page 102. Le sommaire des *Informations pratiques* figure à l'intérieur de la page de couverture.

● *Les «Isles» et leurs habitants,* page 6, décrit une ambiance et donne une idée générale sur ce coin de paradis. Pour en savoir plus, parcourez la section *Un peu d'histoire,* à partir de la page 13.

● Les sites et monuments à découvrir sont décrits de la page 25 à la page 72. Les curiosités à voir absolument, choisies selon nos propres critères – vous sont signalées par le petit symbole Berlitz.

● Après une section consacrée aux sports, aux achats, à la culture locale et à la vie nocturne (pp. 73–93), apprenez quelles sont les spécialités servies par les restaurants des îles, de la page 94 à la page 101.

● Un index (pp. 126–128), enfin, vous permettra de repérer immédiatement tout ce que vous recherchez.

Bien que l'exactitude des informations rassemblées dans le présent guide ait été soigneusement vérifiée, elle n'en est pas moins subordonnée à des fluctuations temporelles. Aussi ne saurions-nous assumer de responsabilité pour des modifications de faits, d'adresses, de prix et d'autres éléments sujets à variations. Nos guides étant remis à jour régulièrement, nous examinons volontiers toutes les remarques dont nos lecteurs voudraient bien nous faire part.

Texte établi par Don Larrimore
Adaptation française: Dominique Peters
Photographie: Daniel Vittet
Nous remercions Gérard Chaillon et Pierre Carta de leur précieuse collaboration ainsi que les Offices de Tourisme de la Guadeloupe et de la Martinique qui nous ont aidé dans la mise au point de ce guide.
Cartographie: Falk-Verlag, Hambourg.

4

Table des matières

Les «Isles» et leurs habitants

Françaises, elles le sont incontestablement, ces îles toujours ensoleillées, mais avec le parfum et l'étrange beauté des tropiques: fleurs à foison, forêts enchevêtrées et verdoyantes, cascades bondissant aux flancs des montagnes, éperons rocheux s'avançant dans la mer, plages de sable blanc, roux ou noir. Et la splendeur des couchers de soleil...

Les eaux de l'Atlantique et de la mer Caraïbe baignent chaque île dont elles colorent les rivages de teintes

allant du vert pâle au bleu nuit. Dans ces eaux étincelantes et pures, la pêche se pratique à peu près comme il y a cinq siècles, quand Christophe Colomb découvrit ces contrées lointaines.

A terre, des plantations de canne à sucre et de bananiers recouvrent plaines et collines.

Pour compléter le paysage, ajoutez des volcans, des palmiers, des palétuviers – des mangoustes et des colibris. Il fait chaud toute l'année (25° en

Rêve de beaucoup: sable chaud, mer d'huile, brise légère et fruits tropicaux bien mûrs...

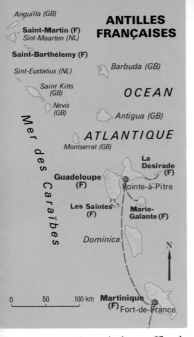

ANTILLES FRANÇAISES

Anguilla (GB)
Saint-Martin (F)
Sint-Maarten (NL)
Saint-Barthélemy (F)
Sint-Eustatius (NL)
Barbuda (GB)
Saint Kitts (GB)
Nevis (GB)
Antigua (GB)
OCEAN
Montserrat (GB)
ATLANTIQUE
Mer des Caraïbes
La Désirade (F)
Guadeloupe (F)
Pointe-à-Pitre
Les Saintes (F)
Marie-Galante (F)
Dominica
N
0   50   100 km
Martinique (F)
Fort-de-France

Quant aux dépendances de la Guadeloupe, si la Désirade à l'est, Marie-Galante et Les Saintes au sud, ne sont séparées d'elles que par quelques dizaines de kilomètres, Saint-Barthélemy et la partie française de Saint-Martin (l'autre partie étant hollandaise) sont à quelque 260 km. au nord. C'est donc bien d'une guirlande d'îles pleines de charme qu'il s'agit.

Pendant trois siècles, elles furent des colonies et non un territoire national. Depuis 1946, la Martinique et la Guadeloupe sont devenues des départements français d'outre-mer (D.O.M.). Elles ont chacune un préfet, Commissaire de la République, nommé par Paris, et envoient trois députés et deux sénateurs siéger dans la capitale, à 6000 km. de là.

Les citoyens des Antilles françaises bénéficient du même statut que les citoyens français, boivent les mêmes vins qu'eux, dégustent les mêmes fromages, pâtés ou baguettes, roulent dans des automobiles de mêmes marques, paient en francs et en centimes, croisent les mêmes gendarmes,

moyenne), mais le souffle de l'alizé vivifie le climat.

«Un coin de chez nous dans les Caraïbes», proclame la publicité d'une agence parisienne. En fait, ce «coin», c'est un chapelet de quelques dizaines d'îles et d'îlots que les Antilles françaises égrènent le long de la gracieuse courbe des Petites Antilles.

La Guadeloupe et la Martinique, de loin les plus grandes de ces îles, sont distantes l'une **8** de l'autre d'environ 120 km.

Aux Antilles, le marché: une profusion de couleurs et de parfums plus exotiques les uns que les autres.

fréquentent des cafés et des boutiques que vous pourriez trouver à Paris; mais vous ne vous y tromperez pas un instant. Non, ce n'est pas, ce ne sera jamais, la France métropolitaine.

Vous sentirez tout de suite cette atmosphère plus riche, plus exotique. Il a fallu un mélange d'Africains, d'Asiatiques, d'Indiens et de Blancs d'origines diverses pour donner naissance à la société et à la culture créoles – et le résultat est presque un modèle d'harmonie.

Ce qui vous frappera d'emblée, c'est la gamme merveilleuse des visages à la couleur et aux traits subtilement différents. Les Antillaises, avec leurs boucles d'oreilles et leurs vêtements éclatants, allient dans leur démarche l'aisance et la sensualité, même quand elles cheminent sur des routes de campagne, un lourd fardeau en équilibre sur leur tête. Les petites filles, et l'on en voit partout, prennent très tôt cette leçon de grâce et de maintien.

La forte natalité, dans ces îles où le catholicisme est la religion dominante, aboutit au surpeuplement. Le gouvernement aide les foyers par des allocations familiales (qui portent le nom imagé d'*argent braguette*) et autres avantages so-

ciaux. Mais on assiste à un exode des hommes qui vont chercher du travail en métropole ou ailleurs. Il reste donc au pays une forte proportion de femmes. C'est à elles que revient traditionnellement le rôle d'élever les enfants (plus de la moitié des 650 000 Antillais ont moins de 18 ans) et de diriger la maison.

Tout le monde s'accorde à reconnaître ce que l'âme créole a d'original et de séduisant. Toujours prêts à sourire, mais assez timides quand il s'agit de faire les premiers pas, les insulaires vous comblent le plus souvent de gentillesse dès le premier contact établi. Et leur simplicité, voire leur candeur, vient de ce que l'honnêteté est ici chose naturelle.

En dehors des centres touristiques et commerciaux, on entend parler, outre le français, la langue créole qu'ont du mal à comprendre les non-initiés, même francophones. Mais chacun, quel que soit son âge, essaie de venir en aide aux visiteurs. Un touriste peut même être honoré de la plus grande des marques d'attention: être invité dans une famille créole.

Vous remarquerez très vite combien, dans ces îles, il est facile de se mettre en train le matin. En particulier grâce au punch, cette boisson à base de rhum, de sirop de canne et de citron vert que l'on sert partout, de l'aube à la nuit tombante. Et puis, tout en buvant, on discute, passe-temps favori des Antillais. Les femmes et les jeunes filles qui lavent le linge au bord des rivières ne cessent de bavarder que pour chanter. Et vous pouvez être sûr qu'au marché, sous leurs grands chapeaux de paille, les vendeuses potinent quand elles ne vous vendent pas leurs goyaves,

La musique est un réflexe aux Caraïbes: ici de jeunes évangélistes.

leurs tamarins, leurs piments rouges ou leurs bananes vertes.

Malgré l'abondance des fruits et des légumes tropicaux et la variété des poissons fraîchement pêchés, nombre de produits alimentaires sont importés, principalement de France. C'est pourquoi la nourriture est si bonne, si imaginative. Les plats traditionnels français sont aussi en faveur que les spécialités épicées de la cuisine créole.

Comme dans la plupart des îles tropicales, la vie se déroule à un rythme plutôt nonchalant. Pendant les heures les plus chaudes, tout s'immobilise: pourtant, la sieste dure moins longtemps que dans les pays méditerranéens. N'attendez pas d'efficacité et de rapidité «à l'américaine». Laissez-vous aller au style de vie antillais. Vous avez tout à gagner à prendre votre temps pour manger, vous promener, acheter.

Mais dès que le soleil se couche et que la musique jaillit, il n'est plus question de paresse: on danse la *biguine*, bien sûr, et d'autres rythmes des Caraïbes, tout aussi populaires et plus endiablés encore tels la *haute-taille* ou le *bel-air*.

On dit que si vous comprenez leur façon de danser, vous avez déjà commencé à comprendre l'âme des Créoles.

N'est-il pas tentant d'essayer?

Nouvelles venues sur la scène du tourisme international, les Antilles françaises sont encore intactes, encore «à découvrir». Essentiellement agricoles, leur situation économique est plus précaire que celle d'aucune autre région de France, mais elles offrent au visiteur en quête de dépaysement, autant que de distractions et de détente, leurs incroyables paysages, leur soleil et leurs plages.

Ce moulin, témoin de la grande époque de la canne à sucre, a troqué ses ailes contre des herbes folles.

Un peu d'histoire

L'attrait des Antilles françaises est aujourd'hui leur tranquillité. Il n'en était pas de même «au bon vieux temps». Bien qu'il soit difficile de l'imaginer, ces «îles à sucre» virent s'affronter les puissances européennes en lutte pour la domination du commerce mondial. La France savait ce qu'elle tenait là – mais la valeur de l'enjeu n'échappait pas non plus à l'Angleterre.

Tout avait pourtant commencé pacifiquement. Il y a environ 2000 ans, des Indiens du bassin de l'Orénoque quittèrent l'Amérique du Sud pour l'archipel antillais. Vers l'an 200 apr. J.-C., ils avaient gagné la Guadeloupe et la Martinique, d'où une éruption volcanique les chassa. L'Histoire perd ensuite leur trace: seuls quelques vestiges archéologiques attestent leur passage.

Aux alentours de 300 apr. J.-C., une vague plus importante d'Indiens de l'Orénoque – les Arawaks – s'établirent dans ce même archipel et pendant des siècles en furent les seuls occupants. Paisibles, ils vivaient de la pêche et de l'agriculture. Nous avons conservé d'eux de très belles poteries.

Puis vinrent les Caraïbes, et

c'en fut fait de la non-violence. Ces Indiens, originaires eux aussi d'Amérique du Sud, attaquèrent les Arawaks, île après île, les chassant ou même les dévorant s'emparant de leurs femmes. Le cannibalisme était un acte rituel pour les braves, et c'est ce qu'on a surtout retenu de ces guerriers qui inventèrent le hamac et donnèrent leur nom aux îles Caraïbes. Disons pourtant que leur menu habituel consistait en poissons, crabes, coquillages et oiseaux!

L'Europe montre son nez

Lors de son second voyage vers ce qu'il croyait être les Indes, Christophe Colomb découvrit ce qu'on appelle encore aujourd'hui les Indes occidentales: d'abord, en 1493, la Dominique; puis il fit halte à Marie-Galante qu'il baptisa du nom d'un de ses navires, avant d'atteindre l'île plus vaste qu'il appela Guadeloupe, probablement du nom d'un sanctuaire d'Espagne.

Là, les Caraïbes, habiles à manier leurs arcs et leurs flèches, réservèrent à l'explorateur un mauvais accueil. Mais il resta assez longtemps pour voir «ses» premiers perroquets et s'étonner de ce que les Indiens parlaient trois langues: l'une que se réservaient les guerriers entre eux, l'autre

utilisée par la plupart des femmes arawaks, la troisième servant aux conversations ordinaires entre hommes et femmes.

Pour enrichir les possessions de la Couronne d'Espagne, Colomb se dirigeant vers le nord découvrit et conquit Saint-Barthélemy – qu'il dota du nom de son frère – et Saint-Martin – qui porte sans doute le nom du saint célébré le jour où Colomb mit le pied sur l'île. Mais ce n'est qu'en 1502, lors de son quatrième et dernier périple transatlantique, que l'explorateur atteignit la Martinique.

Au XVIe siècle, l'Espagne faisait peu de cas des Petites Antilles. C'était l'or sud-américain qui excitait sa convoitise.

Mais, au fil des ans, les conquistadors enrôlèrent de plus en plus d'Indiens pour aller travailler dans leurs mines d'or. Ils introduisirent la canne à sucre, certains légumes et l'élevage du porc dans les îles, sans pourtant réussir à y établir de bases solides. Il était tentant pour les autres nations de profiter de cette faiblesse et du déclin de la puissance navale espagnole.

Au XVIIe siècle, le cardinal de Richelieu fut l'un de ceux qui rêvèrent de conquérir le Nouveau Monde. En son nom, des flibustiers, souvent issus de la noblesse française, commencèrent dès 1625 à planter le drapeau français en terre caraïbe. A leur tête, le gentilhomme normand Pierre Belain d'Esnambuc, dont la statue se dresse sur la place principale de Fort-de-France.

Au début, ils partagèrent avec les Anglais une base à Saint-Christophe (aujourd'hui Saint-Kitts). Quelques années plus tard, les colonisateurs français se dirigèrent, au sud, vers la Guadeloupe et la Martinique. Liénard de l'Olive et Jean Duplessis d'Ossonville

C'est lors de son second périple que Colomb découvrit la Guadeloupe.

touchèrent la Pointe Allègre, au nord de la Guadeloupe, le 28 juin 1635. Mais ce n'est qu'en 1640 que les Français vinrent à bout de la résistance des Caraïbes qui luttaient farouchement pour défendre leur île.

En septembre 1635, d'Esnambuc débarqua à la Marti-

nique et fit bâtir le fort Saint-Pierre, à l'emplacement duquel fut ensuite édifiée la ville du même nom. Là aussi, les Caraïbes résistèrent aux envahisseurs et conservèrent pendant une vingtaine d'années la partie orientale de l'île. Finalement chassés de cette possession française, les Caraïbes continuèrent d'occuper la Dominique et Saint-Vincent. En 1648, les Français revendiquèrent Saint-Barthélemy et une partie de Saint-Martin.

Sucre et esclaves

La culture de la canne à sucre, qui devait changer la face et le destin des Antilles, se développa dès les années 1640. Pour les plantations des îles françaises – aussi bien que de celles appartenant à d'autres nations européennes – on «importa» des esclaves d'Afrique: en 1745, la Martinique comptait 60 000 esclaves et seulement 16 000 Blancs. L'écart était encore plus grand en Guadeloupe. Certains esclaves pouvaient obtenir leur liberté en échange de services rendus. Mais l'enfant métis – né de l'union d'un colon et d'une Noire – était un citoyen libre.

En 1674, quand Louis XIV reprit officiellement le contrôle des îles des mains d'administrateurs couverts de dettes, il

Depuis Belain d'Esnambuc (à gauche), les canons ont souvent tonné; voici deux siècles qu'ils sont silencieux.

nomma la Martinique capitale des Petites Antilles. Durant le dernier siècle de l'Ancien Régime, le sucre contribua à la suprématie économique de la France en Europe. La Martinique s'enrichit considérablement plus que la Guadeloupe.

L'Angleterre contre la France
A cette époque, des aventuriers, tantôt appelés boucaniers, pirates, flibustiers ou corsaires, parcouraient les mers et les côtes des Caraïbes. C'était une aubaine pour la Guadeloupe et la Martinique, car ils apportaient du ravitaillement, pillaient les navires marchands et participaient aux batailles contre les envahisseurs.

Aux Antilles comme ailleurs, l'ennemi numéro un de la France était l'Angleterre. Les premières attaques navales lancées par les Britanniques furent dirigées contre la Guadeloupe en 1691 et 1703. Suivit pour les îles principales un demi-siècle de sièges et de raids au cours desquels on razziait les esclaves.

Pendant la guerre de Sept Ans (1756-63) les Anglais s'emparèrent de la Guade- **17** loupe et la conservèrent pendant quatre ans. Curieusement, cette occupation fut très profitable pour l'économie de l'île: vingt à trente mille nouveaux esclaves y furent amenés, des moulins à sucre construits, ce qui porta le commerce sucrier à un niveau de prospérité jusqu'alors inconnu. Des ingénieurs anglais aménagèrent un port à Pointe-à-Pitre, consacrant l'importance de cette ville fort bien située.

Si un doute subsistait encore quant à l'importance du sucre en ce temps-là, le traité de Paris (1763) le dissipa: la France choisit de reprendre ses petites îles antillaises et de laisser aux Anglais les «arpents glacés» du Canada!

Pendant la guerre d'Indépendance américaine, la France montra clairement où allaient ses sympathies: les navires américains purent se réfugier dans les ports antillais, des corsaires opérant à partir de Saint-Barthélemy coulèrent de nombreux vaisseaux anglais; un régiment martiniquais lutta contre les Britanniques à la bataille de Savannah, en Géorgie. Le 12 avril 1782, dans le détroit situé près des Saintes, au large

Les pacifiques eaux des Saintes furent le théâtre de terribles combats.

Le père Labat

Prêtre dominicain, explorateur, chroniqueur, botaniste, architecte, ingénieur et soldat, le père Labat est connu de tous les Antillais. Il galvanisa la résistance lors des assauts de l'Angleterre contre la Guadeloupe en 1703 (son bastion était la tour qu'on peut encore voir à Baillif, près de Basse-Terre). Interrompant ses recherches sur les Indiens précolombiens, il participa à diverses batailles pendant les onze années qu'il passa dans les îles. De retour en France, il écrivit un livre qui connut un énorme succès: *Nouveau Voyage aux Isles de l'Amérique* (1722), document détaillé, bien que parfois fantaisiste, sur la vie dans ces colonies antillaises.

de la Guadeloupe, la flotte anglaise prit une revanche historique dont l'amiral français, le comte de Grasse, fit les frais.

De Grasse dirigeait une flotte de 34 navires de guerre escortant un convoi de 150 cargos en direction de Saint-Domingue* dans le but de se joindre à une expédition espagnole contre la base britannique de la Jamaïque. L'amiral anglais Rodney avec ses 37 navires et ses 3012 canons (contre

* Que se partagent aujourd'hui la République Dominicaine et Haïti.

2246 du côté français), attaqua au large des Saintes. Les Anglais, plus mobiles, taillèrent en pièces la flotte française, et de Grasse dut finalement se rendre. Ce désastre naval est resté dans l'histoire sous le nom de bataille des Saintes.

Déclin de l'esclavage

Au cours de la Révolution française, quand la Convention proclama l'abolition de l'esclavage, ce fut un tollé général chez les riches planteurs de la Martinique. Ils préférèrent opter en 1794 pour 8 ans d'occupation britannique, plutôt que de perdre leurs esclaves et encourir, comme la Guadeloupe, les foudres du gouvernement de la Terreur.

La Guadeloupe avait en effet été arrachée aux Anglais par Victor Hugues, commissaire de la Convention. Il avait décrété l'abolition de l'esclavage et envoyé à la guillotine les colons les plus acharnés. Ses corsaires devinrent le fléau des mers, leurs attaques aveugles entraînant une rupture diplomatique avec le nouveau gouvernement américain.

Par le traité d'Amiens, en 1802, l'Angleterre restitua la Martinique à la France. Bonaparte, alors Premier Consul, rétablit l'esclavage dans les Antilles françaises, et les historiens discutent encore pour savoir le rôle que joua sa femme Joséphine, une Créole de la Martinique, (voir p. 57) dans cette affaire.

Pour les planteurs et les membres conservateurs du gouvernement, la canne à sucre était cet «or blanc» dont ils tiraient leur immense richesse. Mais en 1799, le monopole de la canne fut ébranlé par l'apparition du sucre de betterave*, moins coûteux. Et le système esclavagiste s'en trouva inévitablement menacé: l'exemple de la révolte des esclaves de Saint-Domingue, d'où devait sortir la nouvelle république indépendante nommée Haïti, eut des effets foudroyants et remit en question tout le problème de l'esclavage des Noirs. Des idées libérales commençaient à se répandre en France même, et quand Nelson détruisit la flotte napoléonienne à Trafalgar il coupa en même temps le trait d'union entre la France et ses Antilles. Le Congrès de Vienne, enfin, condamna l'esclavage.

L'abolition et ce qui s'ensuivit
Tout était prêt désormais pour l'entrée en scène du plus grand héros des Antilles françaises: Victor Schœlcher, fils d'un

marchand de porcelaine parisien. Ce qu'il avait vu au cours de trois voyages aux îles l'incita à lutter – pendant 15 ans – pour la libération des esclaves.

Quand la république fut proclamée à Paris en 1848, Schœlcher rédigea le décret d'émancipation qui libérait 87 500 esclaves à la Guadeloupe et 72 000 à la Martinique. De nos jours, dans le moindre village de ces deux îles, un buste, une statue, un nom de rue, montrent combien il est honoré. En Martinique, une ville même porte son nom.

Pas d'esclaves, cela voulait presque dire pas de production de sucre, jusqu'à ce qu'arrivent dans les plantations de Guadeloupe et de Martinique des travailleurs immigrés recrutés par contrat (16 000 d'Afrique, 80 000 de l'Inde). Nombre de ces Indiens devinrent petits fermiers, et leurs descendants forment une fraction importante de la population des îles (voir encadré p. 45).

Pour stimuler l'économie, on leva enfin l'obligation faite aux Antilles – colonies françaises – de ne faire du commerce qu'avec la France en n'utilisant que des bateaux français. Le rhum, qui se vendait jusque-là en contrebande, devint une source considérable, et légale, de revenus.

* Introduit en France par Bonaparte lors du Blocus continental.

En 1871, sous la Troisième République, la Martinique et la Guadeloupe se virent accorder, à l'Assemblée nationale à Paris, une représentation qu'elles ont depuis conservée. Peu à peu, les îles bénéficièrent des institutions métropolitaines et les Antillais des avantages de la citoyenneté française.

En 1877, la France racheta Saint-Barthélemy à la Suède pour 320 000 francs-or (Louis XVI avait en effet cédé cette petite île, 93 ans auparavant, à son ami le roi Gustave III en échange du droit d'utiliser librement le port de Göteborg).

Le XXe siècle

L'éruption de la montagne Pelée, en 1902, frappa durement les îles. La ville de Saint-Pierre, agréable et brillante, fut complètement détruite: une grande partie de l'élite martiniquaise figurait parmi les 30 000 victimes. Fort-de-France devint dès lors la ville la plus importante de l'île et de toutes les Antilles françaises.

Quand la France connut la défaite pendant la Deuxième Guerre mondiale, l'amiral Georges Robert, gouverneur des Antilles, se rallia au régime de Vichy, malgré l'opposition quasi générale de l'opinion publique locale. Redoutant

l'usage que les Allemands pourraient faire de ces îles, les Alliés imposèrent un blocus rigoureux qui entraîna pour la population de pénibles privations. En 1943, Robert démissionna et les Antilles se rangèrent du côté de la France Libre.

C'est en 1946 que, à la fierté générale, la Guadeloupe et la Martinique devinrent des départements français d'outre-mer (Saint-Barthélemy et la partie française de Saint-Martin étant des sous-préfectures de la Guadeloupe). Fait non négligeable et des plus nécessaires, la métropole assura une aide financière accrue.

Les exportations de sucre, de rhum et de bananes ont repris depuis la guerre. Mais l'accroissement de l'économie n'a pas compensé le rythme de la poussée démographique. L'apport récent du tourisme est lui aussi insuffisant. Et le mécontentement gronde parfois. Mais les liens avec la France sont encore si vitaux, les coutumes françaises si bien implantées, qu'on ne semble pas à la veille d'un mouvement de totale indépendance à l'égard de la métropole.

La canne à sucre reste «l'or blanc» des Antilles françaises.

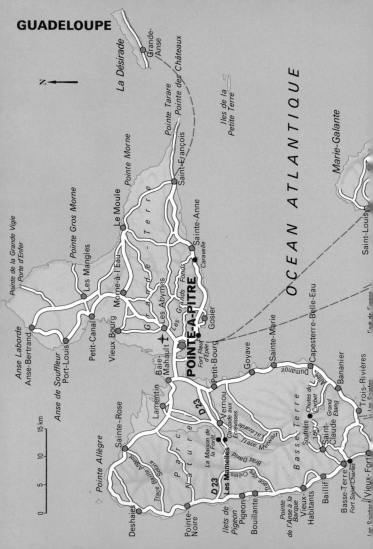

GUADELOUPE

Où aller

La Guadeloupe

La Guadeloupe, qui se surnomme fièrement «l'île d'émeraude», comprend en fait deux îles que relie un pont enjambant la rivière Salée, étroit canal d'eau de mer. Sur une carte, ou du ciel, on croirait voir un papillon posé, ailes déployées, au milieu de l'archipel des Petites Antilles. Ses principales voisines (toutes trois anglophones) sont, au nord, les îles de Montserrat et d'Antigua et, au sud, la Dominique, qui sépare la Guadeloupe de la Martinique.

Christophe Colomb lui donna le nom de son sanctuaire favori en Espagne: Santa Maria de Guadalupe de Extremadura. Pour les Indiens caraïbes, c'était Karukera – l'île aux belles eaux. Vous verrez vite pourquoi...

Entre les deux guerres mondiales, le président américain Théodore Roosevelt, lors d'un séjour en Guadeloupe, fut enthousiasmé par la beauté de la région et l'amabilité de la population. Il prédit que des milliers de touristes viendraient la visiter. Au temps des jets et des croisières, c'est chose faite.

D'esprit moins conservateur que la Martinique, la Guadeloupe pourrait prétendre au titre de paradis antillais des nudistes (des naturistes, comme on dit plutôt). Plusieurs plages leur sont officiellement destinées et un fonctionnaire est chargé de veiller à ce que tout se passe bien dans le petit monde du bronzage intégral.

Les îles qui composent la Guadeloupe sont très différentes l'une de l'autre, l'une plus sèche, l'autre plus verdoyante, et elles portent des noms qui prêtent à confusion (ils ont pour origine les vents qui les balaient et non leur topographie): la Grande-Terre est la plus petite des deux, mais s'enorgueillit d'être la plus importante grâce à Pointe-à-Pitre, et la Basse-Terre la plus élevée. La première occupe 560 km², la seconde 800. C'est dans cette dernière que se trouve, non loin du célèbre, de l'imprévisible volcan de la Soufrière, le chef-lieu du département: Basse-Terre.

La population de la Guadeloupe est d'environ 300 000 habitants, plus quelque 30 000 dans ses dépendances (Saint-Martin et Saint-Barthélemy, Marie-Galante, Les Saintes et la Désirade). Les deux tiers sont considérés comme mulâtres (y compris les quelque 16 000 immigrés de l'Inde); les

Noirs forment 27% du total et les Créoles 8%. La forte densité de la population pose de sérieux problèmes.

Vous pourrez voir ici et là, en Guadeloupe, une cinquantaine de majestueuses demeures (de pierre et de bois) de style créole qui rappellent la prospérité des plantations du temps passé. Vous verrez aussi de modestes maisons préfabriquées transportées d'un endroit à l'autre par camion par des Guadeloupéens sans terres.

Pour visiter l'île, le plus agréable est de louer une voiture, un bateau (ou les deux). Sinon, les hôtels proposent des excursions organisées. Pour de petites distances, les autobus et les taxis collectifs sont économiques (et il y règne une joyeuse atmosphère au son des transistors). Mais pour le tourisme classique, les taxis guadeloupéens sont parfaitement ruineux.

Pointe-à-Pitre

Du temps où cette ville n'était qu'un minuscule village de pêcheurs, il y a trois siècles de cela, on dit qu'un Hollandais nommé Pieter allait vendre son poisson sur une jetée, ou «pointe», et qu'il était si populaire que de lui viendrait le nom de Pointe-à-Pitre.

Des cargos-bananiers fatigués côtoient en haletant des yachts luxueux et des paquebots immenses pour venir jeter l'ancre dans ce port tropical, ville principale de la Guadeloupe, dont elle est l'ouverture sur le monde. Mélange de cases en bois et d'immeubles modernes, de bazars exotiques et de supermarchés, Pointe-à-Pitre révèle peu de son turbulent passé. On s'étonne d'y voir des embouteillages, mais croyez bien qu'il y en a!

Une demi-journée suffit au touriste pour voir la ville et faire ses achats. Ne manquez pas l'animation colorée du **marché en plein air,** près des entrepôts maritimes. Outre les fruits tropicaux, vous y trouverez des cochons de lait, d'étranges petits crabes, des onguents qui vous promettent la richesse, des poudres et lotions qui guérissent tous vos maux. Sous les parasols de couleurs vives, des éventaires offrent des racines bizarres et des herbes mystérieuses dont il est difficile de se faire expliquer l'usage, même si l'on comprend le créole.

Non loin de là (à Pointe-à-Pitre, les endroits qu'il faut voir ne sont jamais éloignés l'un de l'autre), la place de la Victoire, à l'ombre de ses sabliers, est le rendez-vous de la jeunesse.

A tout porter sur leur tête depuis leur enfance, les Antillaises ont acquis une démarche altière qui n'enlève rien à leur charme nonchalant.

Sous la Révolution, bien des vies furent ici écourtées par la guillotine, mais les garçons qui regardent les filles et les filles qui prétendent ne pas regarder les garçons ont oublié ce sinistre épisode. C'est juste aux abords de cette place que se tient l'Office de Tourisme.

La **basilique Saint-Pierre et Saint-Paul** (terminée en 1873) doit ses colonnes et ses balcons métalliques inattendus à un architecte au nom évocateur, M. Trouille, et non à G. Eiffel, ainsi que le suggère une épi-graphe. Trois fois détruite ce siècle par un cyclone, et trois fois reconstruite, elle présente aujourd'hui une belle simplicité, avec son armature de fer et ses vitraux multicolores, œuvres d'artistes locaux. Située place Gourbeyre, en face du modeste palais de Justice, elle est à quelques pas des rues les plus commerçantes: rues No-zières, Frébault et Schœlcher.

Il vaut mieux se promener dans ces attrayantes ruelles tôt le matin ou en fin d'après-midi, quand la chaleur n'est pas trop **27** forte, ni la foule trop dense. Vous remarquerez des maisons qui, avec leurs grilles et ornements de fer forgé, rappellent celles de la Nouvelle-Orléans, un autre ancien port colonial français.

Le faubourg de Massabielle est souvent décrit comme le quartier le plus «pittoresque» de la ville. Bien que proche du centre, c'est une succession de véritables cages à lapins en planches et en tôle ondulée. Faites preuve de discrétion si vous prenez des photos.

Excursions en Grande-Terre

Trois formidables canons vous attendent aux abords du **fort Fleur d'Epée,** dont le pont basculant commande l'accès au port de Pointe-à-Pitre. En voiture, il est à 10 minutes du centre ville.

A la fin du XVIIIe siècle, les forces anglaises et françaises combattirent âprement, au corps à corps, pour cette colline considérée comme essentielle à la défense de la Guadeloupe. Aujourd'hui, les oiseaux gazouillent dans ses buissons. Les salles inférieures d'accès au fort qui contenaient des souvenirs et des documents relatifs à cette guerre ont été fermées au public car ils souffraient trop de l'humidité. Au-delà du petit théâtre, où se produisent des troupes locales, une magnifique vue s'étend sur la baie jusqu'à Basse-Terre.

En redescendant vers la côte, à quelques kilomètres, commence la «Riviera» guadeloupéenne, avec ses plages, ses hôtels et ses courts de tennis entourés de cocotiers. C'est pourtant à **Gosier** que débarquèrent jadis de farouches envahisseurs.

Si vous êtes en excellente forme, vous pourrez atteindre à la nage l'îlot qui fait face à Gosier. Sinon, un bateau vous y mènera en un rien de temps. Pas d'habitants, une forêt surmontée d'un petit phare, un sable merveilleux vous invitent à pique-niquer ou à vous baigner nu. Des hauteurs du village de Gosier, vous ferez des photos mémorables de voiliers ou de planches à voile voguant sur des eaux couleur d'aiguemarine. Les restaurants de l'endroit servent de la cuisine créole, française ou orientale. Il y a là bon nombre de discothèques.

En continuant vers l'est, le charmant village côtier de

Sous le soleil des Antilles, de la musique peut naître l'amitié. Si tous les gars du monde voulaient...

Nettoyer et réparer les filets, un travail quotidien et patient.

Sainte-Anne possède ce que l'on considère souvent comme la plus belle plage de l'île: la **Caravelle,** gérée par le Club Méditerranée; il vous faudra payer un droit d'entrée, sauf si vous y accédez par bateau. On s'adonne au naturisme sur une large section de cet arc de sable blanc. Ailleurs, les seins nus ne choqueront personne.

Il existe à Sainte-Anne une autre plage, publique celle-là. Vous y verrez des barques de pêche peintes de couleurs vives et des familles aux nombreux enfants. Le village doit son nom à la femme de Louis XIII, Anne d'Autriche.

Vers l'intérieur, en partant de Gosier ou de Sainte-Anne, ce ne sont que vertes collines, les *mornes*, comme les appellent les Antillais. Les routes et les villages ne sont guère signalés, mais vous ne pourrez rester perdu longtemps: il suffit d'une demi-heure pour parcourir en voiture cette région des **Grands-Fonds** et découvrir cette simplicité rustique qui caractérise la Guadeloupe. Sur les routes étroites, vous croiserez des vaches, des moutons, des chariots de canne à sucre — et beaucoup de petits enfants.

De retour sur la côte, **Saint-François** est une jolie bourgade de pêcheurs. A toute heure du jour, vous les verrez au bord de l'eau assembler leurs casiers à langoustes et réparer leurs filets. Et le spectacle s'anime à l'arrivée des bateaux, quand les ménagères vont acheter à ces hommes le produit de leur pêche.

De Saint-François, vous atteindrez l'extrémité est de l'île (48 km. de Pointe-à-Pitre) par une route incroyablement étroite; là vous attend l'un des paysages les plus prestigieux des Caraïbes, la **Pointe des Châteaux.** Les vagues de l'Atlantique ont effectivement sculpté en forme de châteaux le roc de cette falaise sauvage. On est soi-même éclaboussé par les embruns quand on escalade le sentier conduisant au sommet où s'élève une grande croix de ciment (érigée entre 1947 et 1951). N'hésitez pourtant pas à aller jusqu'au bout; la vue qui s'offre alors est spectaculaire, avec au loin l'île de la Désirade et, plus près, les îlots de la Petite-Terre.

Un peu à l'écart de la route qui mène à la Pointe des Châteaux, la longue PLAGE DE TARARE est elle aussi officieusement réservée aux nudistes.

Un village pré-colombien des Indiens arawaks a été découvert et mis au jour près de LE MOULE, ville sucrière jadis florissante, qui possède aujourd'hui des hôtels de villégiature; ses plages de sable sont bien protégées de la forte houle de l'Atlantique. Plus au nord, l'endroit le plus saisissant est la **Porte d'Enfer,** où les vagues ont creusé un énorme gouffre dans la côte calcaire. Au point précis où l'Océan a perdu de sa violence, mais où le mugissement des vagues se fait encore entendre, s'étend une plage où l'on peut pique-niquer à l'ombre.

La partie septentrionale de la Grande-Terre est peu peuplée. C'est le domaine de la canne à sucre et du bétail. Vous remarquerez les moulins à vent autrefois utilisés pour presser la canne. A l'extrême nord, la route, quelque peu défoncée, s'arrête à la **Pointe de la Grande Vigie.** Suivez à pied le sentier qui mène au «point de vue» d'où, par temps clair, se détachent sur le bleu de l'Océan les îles de la Désirade, d'Antigua, et même les pics verdoyants de Montserrat. A vos pieds, vous entendrez les vagues s'engouffrer dans les grottes de la falaise. Devant tant de beautés naturelles, vous connaîtrez un de ces moments exaltants où l'on se dit qu'il fait bon vivre sur terre.

Par une route qui longe un éperon rocheux juste au nord du paisible village d'ANSE BERTRAND, vous arriverez à l'ANSE LABORDE qui offre à tous son sable doré, ses eaux turquoise et ses promontoires propices à l'exploration sous-marine. Plus au sud, en partant du village de PORT-LOUIS, on atteint l'**Anse de Souffleur,** l'une des plus belles plages de l'île.

De Port-Louis à Pointe-à-Pitre, le long de la côte ouest, s'étend la forêt-marécage: la *mangrove.* On ne peut guère y accéder que par bateau, mais quel éden pour les pêcheurs et les amoureux des oiseaux! La principale route allant vers le sud traverse des bourgs agricoles typiquement guadeloupéens – PETIT-CANAL, MORNE-A-L'EAU – et une banlieue surpeuplée de Pointe-à-Pitre: LES ABYMES.

Excursions en Basse-Terre

Une route sinueuse fait le tour complet de cette île montagneuse et boisée, mais c'est un circuit qu'il est difficile d'entreprendre sans fatigue en une seule journée de voiture. L'une des plus belles excursions qu'on puisse effectuer est de prendre la **route de la Traversée** (D 23) qui mène au cœur du parc Naturel de Guadeloupe (30 000 ha. de merveilles tropicales). La route se poursuit à l'ouest vers le village

La Pointe de la Grande Vigie offre les paysages les plus grandioses de toute la Guadeloupe.

perché de VERNOU. De sa colline caressée par la brise, on surplombe la vallée de la Lézarde et ses champs ondulants de canne à sucre. Le luxe des villas alentour fait apparaître encore plus misérables les cases où vivent la plupart des Guadeloupéens. Au long de la route, remarquez les arbres aux racines énormes et tourmentées.

Dans toute la zone forestière tropicale, il vaut la peine de s'arrêter chaque fois qu'un site particulier est signalé. Ainsi le **parc de Bras-David** avec son aire de pique-nique située le long de la rivière. A la **Maison de la Forêt**, vous pourrez assister à un spectacle audio-visuel et suivre l'une des trois randonnées de 10, 20 ou 60 minutes, avec guide, sur les «sentiers de découverte». D'autres pistes encore sont réservées aux très bons marcheurs.

A quelques centaines de mètres de la route, un chemin bordé de fougères géantes conduit à la **cascade aux Ecrevisses** et à sa piscine naturelle où il fait bon s'ébattre. Avec un peu de chance, vous serez seul à goûter ce lieu paradisiaque. On annonce ici que la flore guadeloupéenne comporte 1500 espèces, dont vous pourrez acheter non loin quelques échantillons.

Rassurez-vous: contrairement à la Martinique, il n'y a en Guadeloupe ni serpent ni aucun animal venimeux.

Toujours sur la même route, l'endroit culminant est le COL DES DEUX MAMELLES (alt. 600 m.) où le point de vue mérite un arrêt. Pour un plus vaste panorama, on peut atteindre à pied, en moins d'une heure, l'un ou l'autre des sommets: Petit-Bourg (alt. 715 m.) ou Pigeon (alt. 770 m.).

(Si l'on ne passe pas la

journée entière dans le parc, un circuit est possible pour revenir à Pointe-à-Pitre: prendre en direction du nord de l'île la route qui suit la côte sous le vent. On traverse alors PIGEON (de ce simple village de pêcheurs, les amateurs de plongée sous-marine peuvent aller en bateau jusqu'à l'Ilet de Pigeon), puis POINTE-NOIRE (qui doit son nom à la couleur de ses collines volcaniques) et DESHAIES, situé sur une baie magnifique. La plage de la **Grande Anse,** où l'on pratique le surf, est l'une des plus réputées de la Guadeloupe.

En se dirigeant ensuite vers l'est, on arrive à SAINTE-ROSE. Là, au XVIIᵉ siècle, les troupes françaises qui débarquèrent

Dans cette laverie où rien n'est automatique, les heures coulent bien plus lentement que les eaux de la rivière... on a le temps de papoter.

sous la conduite de Duplessis se heurtèrent à la violente hostilité des Caraïbes. Non loin de ce village, qui aujourd'hui vit tranquillement de la pêche, on franchit une rivière où vous verrez probablement des enfants nager ou pêcher et des femmes laver leur linge – comme dans les 14 principales rivières de Basse-Terre.

En revenant par LAMENTIN à la grande route qui rejoint Pointe-à-Pitre, vous traverserez d'interminables champs de canne à sucre dont la hauteur vous surprendra.

La Soufrière et le sud de l'île

De Pointe-à-Pitre, de part et d'autre de la route qui passe à PETIT-BOURG et à GOYAVE, ce ne sont que plantations de bananiers (leurs fruits protégés des insectes par des sacs transparents) et de canne à sucre. On approche alors du lieu où les Européens découvrirent la Guadeloupe, à la fin du XVe siècle. C'est en effet au village de SAINTE-MARIE que Christophe Colomb aborda le 4 novembre 1493, attiré par les cascades que, de la mer, il avait vu jaillir des vertes montagnes. Sur une petite place (facile à manquer car elle est à l'écart de la route), on lui a élevé une statue en 1916: un buste perché en haut d'une colonne à la base de laquelle une inscription rappelle que c'est ici que Karukera devint la Guadeloupe.

Ceux qui auront la curiosité de descendre jusqu'à la mer verront en chemin des porcs, des chèvres, des poules et des enfants, mais rien qui ressemble à un point de débarquement. Les gens du pays vous diront avec un hochement de tête que la topographie de la côte a pu changer en 500 ans.

Une fois passée la char-mante bourgade agricole de CAPESTERRE, la route prend pendant près de 2,5 km. le nom d'**allée Dumanoir.** Elle est bordée de chaque côté d'une majestueuse rangée de palmiers derrière lesquels s'étendent de vastes bananeraies.

Vous serez ensuite tenté de quitter la route côtière et de

Si les chutes du Carbet sont un attrait peu connu de l'île, le sourire des enfants, lui, a la vedette.

vous diriger vers les **chutes du Carbet.** Après avoir serpenté au milieu de bananiers, puis de fougères arborescentes, la route se rétrécit et la végétation tropicale semble se refermer

37

sur vous et vous isoler de toute civilisation. Selon l'emplacement de la chute du Carbet que vous voudrez atteindre, il vous faudra marcher 20 minutes, 30 minutes ou 2 heures sur des sentiers jalonnés. Ces itinéraires touristiques, bien que peu fréquentés, sont parmi les plus beaux de la Guadeloupe.

Quittant la D4 qui vous mène aux chutes, allez jusqu'au **Grand-Etang,** un lac paisible entouré de forêts où le silence n'est rompu que par les oiseaux, les insectes, et les poissons bondissant hors de l'eau. Il faut moins d'une heure pour en faire le tour.

En revenant sur la côte, vous n'aurez pas à vous demander d'où le village de BANANIER tire son nom. La route jusqu'à Trois-Rivières est l'une des plus agréables de l'île, offrant à un endroit un panorama qui englobe au loin les îles des Saintes.

A **Trois-Rivières,** arrêtez-vous pour admirer des roches gravées il y a environ 1600 ans par les Indiens arawaks. Un **parc archéologique** a été aménagé sur la colline autour de

ces rocs énormes et mystérieux. Les signes gravés dans la pierre doivent avoir un sens, mais ils n'ont pu encore être déchiffrés. Trois de ces roches ont été transportées dans des musées, à Paris, Berlin et New York. D'autres, à l'extérieur du parc, n'ont pas encore été classées monuments historiques par l'administration française. Les habitants du lieu vous diront où les trouver. Des brochures gratuites décrivent les roches et la végétation alentour.

En retournant à la ville, vous passerez devant un marché couvert aux poissons et aux légumes. Du quai, des bateaux partent très tôt chaque matin pour Les Saintes (voir p. 42).

Basse-Terre, chef-lieu de la Guadeloupe, est plus petite et moins animée que Pointe-à-Pitre. En s'y promenant, on pourrait se croire dans une petite ville de province française si cette côte n'était magnifiquement dominée par les pentes boisées de **la Soufrière.** L'imposant fort Saint-Charles date de 1645. Si vous faites halte à Basse-Terre, allez au grand marché qui se tient près de la belle route du front de mer.

Et maintenant, la montée commence: vers le plaisant village de **Saint-Claude** avec ses demeures cossues à flanc de colline, puis jusqu'au sommet – **39**

Pierres gravées de Trois-Rivières: des souvenirs qui donnent à réfléchir sur le passé antillais.

Il halète, lance quelques bouffées, fait mine parfois de se mettre en colère. Sans dommage pour personne. De toute façon, les hôtels de villégiature sont hors de sa portée. La Soufrière, capricieuse et superbe, même si elle s'amuse à envelopper presque toujours son sommet de nuages, n'est qu'un volcan «semi-actif». Du haut de ses 1467 m., elle domine la partie sud de la Basse-Terre, luxuriante et accidentée. Durant l'été 1976, ses «explosions de vapeur» firent les gros titres des journaux du monde entier. Quelque 72 000 personnes furent évacuées. Mais rien n'arriva, et chacun rentra chez soi. La Soufrière est un lieu splendide que l'on peut visiter sans danger. Soyez sûr que, sinon, les experts ne vous laisseraient pas vous en approcher!

ou tout au moins aussi haut que, ce jour-là, les gendarmes vous laisseront aller. Plus on monte, plus on sent l'odeur de soufre qui s'échappe des fissures du sol, dans un paysage véritablement fantastique. Une route circulaire autour de la Soufrière et des chutes du Carbet a été récemment terminée. On peut monter en voiture presque jusqu'au cratère et accomplir à pied les derniers 300 mètres. Par beau temps, où que l'on soit sur ces hau-

teurs, la vue est prodigieuse. Pour avoir plus d'informations concernant les pistes que l'on peut faire à pied à l'intérieur du parc naturel, adressez-vous à l'Office du Tourisme de Pointe-à-Pitre.

De Basse-Terre, en suivant vers le nord la côte sous le vent, on rencontre de petites plages de sable noir volcanique et toutes sortes d'accessoires pittoresques servant aux pêcheurs de l'endroit. Près de BAILLIF se trouve le mieux conservé de ces moulins de pierre qui servaient de tours de guet au célèbre prêtre «militant», le père Labat (voir p. 20). Ce moulin fut le témoin de sanglantes batailles entre Français et Anglais au début du XVIIIe siècle. L'une des plus jolies baies de la Guadeloupe, l'**Anse à la Barque,** est ainsi nommée à cause des nombreux bateaux de pêche qui s'y abritaient par gros temps.

La Soufrière sait rappeler qu'elle est bien loin d'être endormie.

🏃 Les Saintes

Même si vous décidez de ne passer que la journée dans cet archipel, emportez votre brosse à dents en plus de votre maillot de bain, tant il vous sera difficile de le quitter. Deux seulement de ces huit îles sont habitées et l'une d'elles, TERRE-DE-BAS, l'est à peine. De Pointe-à-Pitre, un avion vous conduira en 15 minutes sur l'île principale, **Terre-de-Haut.** De Trois-Rivières, vous mettrez moins d'une heure par mer.

Avec ses yachts et ses bateaux de pêche, sa ceinture de collines où sont nichées des maisons aux toits rouges, le port de Terre-de-Haut évoque un Rio de Janeiro en miniature ou une île de la mer Egée. Dès votre arrivée, et pour quelques piécettes, vous pourrez choisir l'une des délicieuses tartes à la noix de coco que vous proposent des enfants. Il semble ici que chacun goûte la douceur de vivre et presque tout le monde va pieds nus.

Ici, la pêche prime tout. Un peu partout, ce ne sont que casiers à langoustes, couteaux pour vider les poissons, cannes et lignes. Vous ne serez donc pas surpris d'apprendre que les habitants descendent pour la plupart de Bretons venus s'établir dans l'île il y a 300 ans. On les appelle – comme leurs bateaux – des Saintois. Ils portent souvent un chapeau de paille, le *salako,* et acceptent de se laisser photographier si vous le leur demandez gentiment.

Pour débuter, il vous faut faire en minibus, sur les 5 km. de routes de l'île, une promenade accompagnée d'une heure et demie. Elle inclut le fort Napoléon, intact, car il est postérieur aux guerres que Français et Anglais se livrèrent dans la région. Le fort que vous apercevrez sur l'Ilet à Cabrit date du XIXᵉ siècle et porte le nom de l'impératrice Joséphine; il est en effet construit sur une colline appelée Morne Joséphine.

Après avoir flâné pendant les cinq minutes qui suffisent pour visiter le village, le touriste avisé se rendra directement à la **plage de Pont-Pierre** (au prix d'entrée symbolique) et y découvrira l'image qu'il se fait peut-être du paradis: un croissant de sable entouré d'arbustes tropicaux aux grappes rouges, le doux soulèvement d'une houle couleur d'aiguemarine; tout près, un récif de

Les Saintes: un vrai dépaysement pour ceux qui ont l'habitude des plages méditerranéennes surpeuplées.

Une vie simple mais chaleureuse caractérise Terre-de-Haut.

corail; plus loin, en sentinelles, d'énormes «roches percées». Ne craignez pas la multitude de petits crabes qui se cachent dans le sable: ils sont inoffensifs.

Des cocotiers ombragent encore davantage la délicieuse plage de la **presqu'île du Pain de Sucre.** Entre autres plages, il y a l'ANSE CRAWEN, rendez-vous des naturistes autant que des amateurs de plongée sousmarine. Aux Saintes, explorer la transparence des fonds marins peut être une expérience inoubliable. Pour un prix à débattre, vous pourrez faire en bateau le tour des îles et l'on vous montrera le lieu exact où, en 1782, les flottes française et anglaise s'affrontèrent lors de la bataille des Saintes (voir p. 20).

Pour loger à Terre-de-Haut, réservez vos chambres assez à l'avance, surtout le week-end. Quant aux restaurants, il est difficile de trouver du poisson plus fraîchement pêché que celui qui figure à leurs menus.

A noter: l'aller et retour pour les Saintes coûte environ quatre fois moins cher en bateau qu'en avion. On peut prendre le bateau à Trois-

Rivières (50 km. de Pointe-à-Pitre), à Basse-Terre et à Pointe-à-Pitre.

Marie-Galante et la Désirade

Si vous n'avez que de brèves vacances, vous pourrez vous dispenser de visiter ces deux îles qui présentent un intérêt moindre. Dépendances de la Guadeloupe, elles sont desservies par des vols réguliers. Les liaisons par bateau sont moins recommandées.

MARIE-GALANTE, baptisée par Christophe Colomb à son deuxième voyage, est surtout connue pour son rhum. Outre d'immenses champs de canne à sucre, on y trouve quelques plages de sable blanc, telles La Feuillère, près de Capesterre, Vieux-Fort et Folle-Anse. Le château Murat est une belle demeure du XVIIIe siècle.

Les habitants sont d'une grande gentillesse, l'atmosphère est simple et détendue, la cuisine créole excellente (goûtez la soupe appelée *bébélé* qui mêle au fruit de l'arbre à pain, du crabe, de la banane et des petits pois).

Allez voir les belles plages de LA DÉSIRADE, la bien-nommée, où vivent 1600 fermiers et pêcheurs, si vous êtes de

Présence de l'Inde
Vous serez sans doute surpris du nombre d'émigrants de l'Inde que vous verrez aux Antilles. La Guadeloupe en compte environ 16 000, la Martinique un peu moins. Ils ont belle prestance, bien que les hommes ne portent plus guère le turban ni les femmes le sari. Ce sont les descendants des ouvriers engagés en Asie au siècle dernier pour remplacer, dans les plantations de canne à sucre, les esclaves affranchis. Les types issus de mariages mixtes entre Indiens et Africains sont d'une grande beauté. Beaucoup d'entre eux sont devenus catholiques, tandis que les autres, les Hindous, pratiquent des cérémonies rituelles qui se déroulent dans de petits temples (et auxquelles vous pourrez assister). Il y a une forte concentration d'Indiens à Matouba (au flanc de la Soufrière); d'autres vivent à Fond-Saint-Denis et Basse-Pointe (sur la route de Saint-Pierre, en Martinique). Les Indiens sont les meilleurs maraîchers de la Guadeloupe.

ceux qui aiment à sortir des sentiers battus, si vous êtes un couche-tôt et si les longues journées s'écoulant paresseusement vous enchantent. L'île fut découverte par Christophe Colomb en novembre 1493. **45**

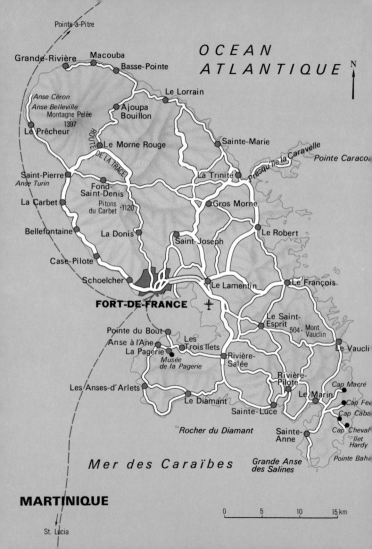

La Martinique

Les Indiens avaient raison de l'appeler *Madinina* – l'île aux fleurs: hibiscus, bougainvillée, anthurium, magnolia et laurier-rose rivalisent parmi bien d'autres pour faire de la Martinique le plus bigarré des jardins tropicaux. Quand, vers la fin de sa carrière, Christophe Colomb découvrit cette île, il dit que c'était «la meilleure, la plus fertile, la plus douce, la plus charmante contrée qu'il y ait au monde», et il l'appela *Matinino* (car il aurait débarqué le jour de la Saint-Martin, à moins que ce ne soit une déformation de *Madinina*) dont les Français firent plus tard Martinique.

Cette île, la plus méridionale des Antilles françaises, est située entre la Dominique et Sainte-Lucie. Ses 1100 km² sont peuplés de 400 000 habitants vibrants, généreux et passionnés. La grâce des Martiniquaises est légendaire, et le nombre de leurs enfants stupéfiant. C'est ici que naquit l'impératrice Joséphine, première épouse de Napoléon.

Comme autrefois, la pêche et l'agriculture assurent la fragile subsistance de la Martinique – l'excellent rhum y contribuant également. Malgré l'extension du tourisme, l'ave-

nir économique semble aussi incertain ici qu'en Guadeloupe.

Pour découvrir la Martinique, le mieux est de louer une voiture. Prendre un taxi, si l'on est trois ou quatre, ne revient pas trop cher. Les touristes des hôtels et les passagers des croisières peuvent faire, en minibus ou en bateau, des excursions accompagnées vers les sites de l'île présentant le plus d'intérêt.

Fort-de-France

Donnant sur un **port** superbe, la préfecture de la Martinique est tour à tour trépidante et assoupie, mais toujours captivante. L'extraordinaire hauteur des palmiers fait de certains immeubles des nains. En toile de fond, d'impressionnantes montagnes vertes.

Dans la vaste baie, où l'on voit au crépuscule sauter des poissons volants, se côtoient sans se bousculer sloops et ferry-boats, paquebots de croisière et barques de pêche. A terre, c'est une autre affaire: on n'échappe pas aux embouteillages.

Il faut savourer cette ville à pied, en commençant par le très vivant **marché de la rue Isambert.** On y trouve tous les trésors de la Martinique: ana- **47** nas frais, tranches de noix de coco, petits citrons verts si chers aux Antillais et parfois, parmi les bananes et les patates douces, d'antiques bouteilles de potions médicinales. Cette délicieuse place du marché possède un snack-bar où un repas de légumes frais, des plus savoureux, vous sera proposé à un prix qui défie, heureusement, toute concurrence.

Les rues avoisinantes sont pleines de boutiques où acheter des vêtements, des chaussures, des bijoux et des tissus typiques de la région, en particulier du madras. N'hésitez pas à marchander.

Quand vous atteindrez le

Sus au gros poisson... les ménagères de Fort-de-France ne vont pas abandonner une telle aubaine aux restaurateurs de la Martinique.

«canal», c'est-à-dire la rivière Levassor*, traversez la passerelle de pierre. Serrées les unes contre les autres, des embarcations regorgent de poissons, de langoustes, d'anguilles, et l'on pèse la marchandise sur des balances rudimentaires. Le véritable **marché aux poissons** est plus loin, le long du canal, sur

---

* L'hélice a été inventée par un Martiniquais, Gilbert Canque, et les premiers essais eurent lieu dans ce cours d'eau.

le boulevard Allègre. Vous admirerez l'habileté des femmes qui manient la machette pour débiter des poissons-lunes, des thons ou des requins.

Le parc bien dessiné de **La Savane,** situé près de la mer, au cœur de la ville, est un lieu de prédilection pour les touristes comme pour les Martiniquais. Deux statues s'y dressent: celle de l'impératrice Joséphine, en marbre blanc, une rose à la main et le regard tourné vers le lieu où elle naquit, de l'autre côté de la baie (voir p. 57); et celle de Belain d'Esnambuc (en bronze, celle-là), l'aventurier normand à qui la Martinique doit d'être française. Il est bien difficile d'imaginer La Savane, théâtre de batailles sanglantes opposant les Français aux Anglais et aux Hollandais. Et pourtant...

La rue de la Liberté longe La Savane. C'est au n° 9, qu'est situé le très intéressant **Musée départemental** de la Martinique. Dans les salles (climatisées) de ce petit musée à trois étages sont exposés des vestiges de l'ancienne civilisation indienne et des souvenirs des trois derniers siècles d'histoire de l'île. Napoléon et Joséphine y sont en bonne place, ainsi que des témoignages de l'éruption de la montagne Pelée (voir p. 52). Vous y verrez, entre au-

49

tres, des fers d'esclaves, des costumes traditionnels martiniquais et une curieuse carte française qui date de 1778 et montre le «théâtre de la guerre» entre les Américains et les Anglais. Le musée est ouvert de 9 h. à midi et de 15 h. à 18 h. du lundi au vendredi (un spectacle audio-visuel est présenté l'après-midi), ainsi que le samedi matin.

Toujours dans la rue de la Liberté se trouve la **Bibliothèque Schœlcher.** Doté d'une intéressante collection d'objets arawaks et caraïbes, cet étonnant édifice fut présenté à l'exposition de 1889 à Paris, avant d'être reconstruit pierre à pierre à Fort-de-France. La bibliothèque vient d'être restaurée, de même qu'un autre bâtiment original: la **cathédrale Saint-Louis** (construite en 1895). Celle-ci fut en effet remaniée de fond en comble en 1982.

Pas de visite de forts en Martinique, à moins d'obtenir un permis spécial des autorités militaires. Il en est donc ainsi du **fort Saint-Louis** qui,

au XVIIe siècle, constituait toute la ville et autour duquel des maisons se construisirent peu à peu sur des marécages asséchés. En 1674, il s'appelait alors Fort-Royal, puis *Foyal* selon la version créole. C'est Napoléon qui le baptisa Fort-de-France, et la ville prit le même nom. Dévastée par des incendies et des cyclones au siècle dernier, Fort-de-France ne serait jamais devenue la première ville de la Martinique si la terrible éruption de la montagne Pelée n'avait réduit Saint-Pierre en cendres en 1902.

Merveilleux ferry-boats
Nombreux, confortables, des ferry-boats relient la capitale et la station touristique de la Pointe du Bout. Cette promenade de 20 minutes est un pur plaisir. Les habitués semblent ne plus faire attention au spectacle. Mais, à moins d'avoir votre propre voilier, le pont du ferry est le meilleur endroit pour admirer ce magnifique port antillais. L'heure privilégiée est celle qui précède le coucher du soleil (moment fugitif qui a lieu vers 18 h.). Il est conseillé aux photographes amateurs de ne pas manquer la balade! (Des vedettes assurent un service régulier pour d'autres plages plus éloignées.)

La vie nocturne à Fort-de-France: une autre facette de la Martinique.

Aventurez-vous dans l'intérieur

Si le temps dont vous disposez ne vous permet qu'un seul circuit, ne manquez pas d'y inclure la **route de la Trace,** ou plus prosaïquement la Nationale 3. C'est l'une des plus belles des Antilles: d'un côté, le précipice, de l'autre le vert profond des pitons du Carbet qui dominent la partie nord-ouest de la Martinique. Près du hameau de LA DONIS, vous pourrez acheter chez l'un des deux pépiniéristes des spécimens de la flore locale (fermé le dimanche).

Attention! Il y a des serpents venimeux en Martinique. Evitez de vous écarter des pistes forestières jalonnées.

Si vous voulez pleinement ressentir ce qu'ont d'extraordinaire les paysages de montagne tropicaux, roulez jusqu'à **Fond-Saint-Denis.** Après bien des tournants, vous arriverez à un observatoire créé par l'Université de Paris afin d'étudier les phénomènes volcaniques de la montagne Pelée. Pour le visiter, il faut en demander l'autorisation 3 jours à l'avance, mais le panorama seul vous paiera de votre montée. Et si ce jour-là vous êtes au-dessus des nuages, la végétation luxuriante des montagnes sera féerique.

Saint-Pierre et le volcan

Saint-Pierre était jadis une jolie ville marine, la première fondée en Martinique par les Français. Vers 1900, elle était si prospère économiquement et culturellement qu'on l'avait surnommée «le petit Paris des Antilles». Fin avril 1902, quand la montagne Pelée commença à cracher de la fumée et des cendres du haut de ses 1400 m., les autorités ne parlèrent pas d'évacuer la population – on était à la veille d'une élection!

Les 4 et 5 mai, la rivière Blanche se mit à charrier une masse de boue et de rocs, ensevelit une usine et fit 25 victimes. En même temps, un raz de marée balayait la côte près de Saint-Pierre. Des flammes jaillirent du sommet de la montagne. Le 7 mai, le gouverneur de la Martinique et sa femme vinrent rassurer les habitants (plus de 30 000).

C'est à 8 h. 02, le 8 mai, qu'eut lieu l'explosion titanesque de la montagne Pelée. Une nuée ardente, énorme masse brûlante de gaz, de vapeurs et de cendres, et une pluie de rocs incandescents s'abattirent dans un grondement effroyable sur Saint-Pierre. En trois minutes, tout était carbonisé. Le seul survivant, un prisonnier que les murs épais de sa cellule avaient protégé, fut ensuite promené par le monde comme un phénomène de cirque. Il ne mourut qu'en 1955.

Au **musée vulcanologique Frank Perret,** vous trouverez une excellente documentation sur ce désastre. Perret, un Américain, vécut à Saint-Pierre de 1929 à 1943 (il mourut peu après à New York). Lors de l'éruption mineure de 1929, il s'était tenu aux abords du cratère de la montagne Pelée et avait étudié la composition des gaz volcaniques. Il fonda ensuite le musée dont il fit don à la municipalité. Des guides vous aideront à en visiter l'unique salle, tout entière consacrée à la catastrophe qui anéantit une ville si vivante et si gaie. Parmi les curiosités les plus frappantes, des agrandissements photographiques d'une machine à coudre tordue par l'intense chaleur, d'une masse de ciseaux soudés les uns aux autres, et surtout, une lampe carbonisée dont l'ampoule continua de fonctionner jusqu'en 1964. Le musée est ouvert tous les jours (Noël et le carnaval y compris) de 9 h. à

Les ruines tragiques de Saint-Pierre, brillante capitale anéantie.

midi et de 15 h. à 17 h. (Entrée payante.)

En sortant du musée, penchez-vous sur le parapet pour voir les débris de bâtiments le long de la plage. A une centaine de mètres, vous passerez devant les ruines de ce qui fut un si brillant théâtre, et celles de l'ancienne prison.

Aujourd'hui, Saint-Pierre ne compte que 6500 habitants. Si vous les interrogez, ils reconnaîtront que «cette montagne» les préoccupe un peu, mais de-

puis l'éruption sans gravité de 1929, le volcan n'émet plus de fumée et la terre ne gronde que rarement.

Le nord de l'île

Si vous êtes passionné d'histoire, demandez, en partant de Saint-Pierre vers le nord, qu'on vous montre l'emplacement dit le «Tombeau des Caraïbes» (il n'est pas indiqué). Là, au XVIIe siècle, des Indiens poursuivis par des colons français se jetèrent du haut d'une falaise en

jurant que la montagne Pelée vengerait leur mort. Plus loin, dans un modeste village appelé LE PRÊCHEUR, une autre illustre fille des îles passa son enfance: Madame de Maintenon, épouse morganatique de Louis XIV. Plus loin encore, le hameau de l'ANSE BELLEVILLE, sa jolie plage et son figuier géant.

Toute cette côte est pratiquement inhabitée. Vous ne rencontrerez sans doute personne sur la plage de l'**Anse Céron,** endroit idyllique qui marquera la fin de votre randonnée – le sentier tropical qui prolonge la route mettrait à rude épreuve n'importe quel véhicule à quatre roues.

Pour atteindre les villages les plus septentrionaux, Grand-Rivière et Macouba, il vaut mieux prendre la route qui, de Saint-Pierre, contourne la montagne Pelée et traverse LE MORNE ROUGE et AJOUPA BOUILLON. En chemin, vous serez sans doute surpris de voir des pneus peints de couleurs voyantes accrochés aux maisons. Ici, comme ailleurs, ils servent de décoration et non à chasser les «mauvais esprits». Pour cela, les Martiniquais ne manquent pas d'autres méthodes.

En vous approchant de la côte atlantique, vous serez comme englouti au sein d'immenses bananeraies, leurs fruits s'offrant à portée de la main. Mais il vaut mieux résister à la tentation de descendre de voiture: ces plantations sont infestées de serpents venimeux appelés *fers de lance*.

A **Macouba,** faites une pause dans l'humble église où le père **55**

Labat célébra la messe. Elle est accrochée au flanc de la colline et son cimetière surplombe l'Océan. Vous pourrez facilement descendre à pied jusqu'au village de pêcheurs que vous voyez plus bas (en remonter, par contre, peut être épuisant par temps chaud). Dans de curieuses grottes calcaires, des gens du pays viennent parfois chanter et danser en s'accompagnant sur leurs instruments à cordes.

En reprenant la route pavée, toute en épingles à cheveux, vous franchirez deux ponts métalliques modernes, peints en vert, et atteindrez **Grand-Rivière,** où la route se termine. Le village est réputé pour la hardiesse et l'habileté de ses pêcheurs. Vous verrez des jeunes gens chevauchant les crêtes des vagues inquiétantes de l'Atlantique sur leurs frêles *langues de bœuf,* troncs évidés qui se révèlent excellents pour le surf.

Impressionnant paysage que celui de ce bourg isolé: d'un côté le massif volcanique tourmenté, de l'autre l'Océan qui s'abîme contre les falaises!

Comme il n'y a pas de route pour regagner directement Saint-Pierre, revenez sur vos pas, retraversez Macouba et Le Morne Rouge, et suivez la côte jusqu'à Fort-de-France, au sud.

De Saint-Pierre à Fort-de-France

Sitôt passée l'**Anse Turin** et sa plage de sable gris, près du CARBET, un écriteau signale que Paul Gauguin séjourna ici en 1887, et une flèche vous indique, par-delà l'arche d'un aqueduc en ruine, le **Musée Gauguin,** qui abrite des œuvres du peintre et des objets lui ayant appartenu (documents, lettres, etc.).

Vous arriverez ensuite au village de pêcheurs le plus photographié de la Martinique: **Bellefontaine,** avec sa plage où sèchent des filets et ces *gommiers,* sorte d'embarcations que l'on doit aux Indiens caraïbes. Ici, seule la pêche dicte une certaine manière de vivre. On ressent davantage l'influence du tourisme à **Schœlcher** (le village dont le nom est un hommage au célèbre abolitionniste) situé juste au nord de Fort-de-France. On peut y admirer un monastère bénédictin remarquablement restauré.

De Fort-de-France, on s'enfonce dans l'intérieur par une route qui traverse SAINT-JOSEPH et GROS MORNE et ser-

Joséphine, impératrice, règne sur les jardins de son enfance.

56

Beaucoup de bruit autour de Joséphine

Elle n'était certainement pas la plus belle des Créoles, mais pour Bonaparte elle avait sans aucun doute le charme piquant de l'exotisme. Elle était née Marie-Josèphe Rose Tascher de La Pagerie le 23 juin 1763. Elle se maria à l'âge de 16 ans avec Alexandre de Beauharnais, fils du gouverneur de la Martinique, avec qui elle eut deux enfants et une vie malheureuse en France. Il fut guillotiné pendant la Révolution, et c'est une charmante veuve d'une trentaine d'années que rencontra Bonaparte. Ils se marièrent le 9 mars 1796. Il l'appelait Joséphine, et visiblement l'adorait. Empereur, il en fit son Impératrice. On dit qu'elle eut beaucoup d'amants, mais elle aurait sans doute continué à régner si elle avait donné un fils à Napoléon. Il la répudia en 1809 et elle mourut cinq ans plus tard. La Martinique continue de la vénérer.

pente à travers des collines où mûrissent la banane, l'ananas et la canne à sucre. Le sort des hommes et des femmes qui cultivent ces immenses plantations sous un soleil de plomb n'est pas enviable, mais ils ne manqueront jamais de répondre à votre salut par un **57** sourire. A Saint-Joseph, faites-vous montrer l'*arbre du voyageur*, originaire de Madagascar, dont le tronc contient une réserve d'eau.

Le sud de la côte Caraïbe

Rien ne semblait prédestiner **Trois-Ilets,** village situé en face de Fort-de-France, sur l'immense baie, à être le lieu de naissance d'une impératrice. Et pourtant... Entrez dans cette église blanchie à la chaux où vous goûterez un peu de fraî-cheur. C'est sous sa voûte bleu ciel que les parents de Joséphine furent mariés et qu'elle-même fut baptisée – bien qu'une plaque rappelle seulement que le 5 mai 1921 le village célébra le centième anniversaire de la mort de Napoléon.

A cinq minutes de là, après un parcours de 200 m. sur la route campagnarde peut-être la plus cahoteuse de toute la Martinique, vous trouverez le domaine qui appartenait à la

famille de Joséphine. On a fait de l'ancienne cuisine et de l'oratoire un sanctuaire consacré à l'impératrice: le **Musée de la Pagerie.** Vous y verrez des meubles d'époque, des chaînes d'esclaves et des tableaux anciens, une copie de l'acte de mariage de Napoléon et de Joséphine, mais surtout une lettre d'amour enfiévrée que Napoléon lui envoya d'Italie en 1796. Les guides vous glisseront, en français ou en créole, que des personnalités telles que la reine Margrethe de Danemark, le roi Léopold de Belgique, Lady Clementine Churchill et Jacqueline Kennedy sont venues jusqu'ici visiter ce sanctuaire historique.

En reprenant la route, après la visite du musée, vous longerez un terrain de golf à 18 trous et atteindrez la **Pointe du Bout,** centre de villégiature avec de

Rocher du Diamant pour les bons nageurs, Pointe du Bout pour les autres.

nombreux hôtels, des plages et un port de plaisance. Si vous faites en bateau le tour de cette très jolie presqu'île, vous serez frappé par la côte abrupte creusée d'anses bien protégées. De Fort-de-France, on peut se rendre par la route ou par un ferry-boat à l'**Anse à l'Ane**: une plage de sable, des restaurants, des tables pour le pique-nique à l'ombre des raisiniers, et un petit musée, le Musée d'art en coquillage, qui, par l'assemblage de coquillages, retrace des scènes de la vie locale et des événements historiques.

Le rocher du Diamant

Surgissant à moins de 3 km. au large, ce colosse couvert de buissons ne ressemble guère à un cuirassé britannique. C'est pourtant ce qu'en fit la Marine Royale durant les âpres combats dont la Martinique était l'enjeu. Les Anglais débarquèrent hommes et ravitaillement sur ce «Navire de sa Majesté» (H.M.S. *Diamond Rock*), en 1804. Il fallut aux Français huit mois de bombardements et d'assauts pour déloger la garnison et reprendre le contrôle du bras de mer séparant l'îlot de la côte.

Insoucieux des considérations militaires du passé, les oiseaux sont aujourd'hui les véritables occupants de cette masse rocheuse qui se dresse telle une étrange apparition.

Ce musée est ouvert tous les jours, à l'exception du mardi.

Le village des **Anses-d'Arlets** vous charmera davantage encore. Les gens, ici, sont extrêmement accueillants et calmes, l'atmosphère parfaitement détendue. Vous ne rencontrerez sur les trois ravissantes plages que des pêcheurs tout souriants et quelques touristes, bien que les vedettes à moteur venant de la capitale fassent le trajet en un temps record.

Après avoir contemplé le rocher du Diamant (voir encadré), si vous continuez vers le sud, vous traverserez SAINTE-LUCE, RIVIÈRE-PILOTE et LE MARIN avant d'arriver à SAINTE-ANNE, où deux plages vous attendent: l'une – pour certains, la plus belle de l'île – est celle du Club Méditerranée; l'autre, agréable mais peu ombragée, est publique. (Le soleil semble plus chaud que dans le reste de l'île – non que l'on soit tellement plus près de l'équateur, mais la région est aride.)

De Sainte-Anne, il vous suffira de rouler dix minutes pour découvrir une suite de magnifiques plages appelées **Les Salines.** C'est ici que la route goudronnée s'arrête. Vous êtes à l'extrême pointe sud de la Martinique. Bien que des tentes soient dressées en permanence pour le camping des week-ends, emportez de quoi pique-niquer, car l'endroit ne peut vous offrir que son exotisme, loin de toute civilisation.

Si vous ne redoutez pas d'engager votre voiture sur un chemin à la fois rocailleux et sablonneux, un site étrange apparaîtra à vos yeux: la savane des Pétrifications. Seuls des cactus poussent sur ce qui semble d'abord être du roc et se révèle du bois pétrifié. Peut-être, dans la nuit des temps, y avait-il là une forêt qu'un volcan ensevelit avant de disparaître lui-même dans l'Océan.

La côte atlantique

Cette côte au vent, déchiquetée, à laquelle on ne peut guère accéder que par bateau, n'est pas la plus touristique de l'île. Notons pourtant, sur la **presqu'île de la Caravelle,** les promenades qu'offre son parc Naturel, et la plage proche de TARTANE.

Vous prendrez également plaisir à visiter **Le Vauclin** où les vestiges d'une importante colonie caraïbe ont été découverts, et où vous serez toujours bien accueillis par des pêcheurs au visage tanné par le vent et le soleil. Des hauteurs de la montagne du Vauclin, la vue spectaculaire couvre toute la partie méridionale de la Martinique.

Plus au nord sur la côte, LE FRANÇOIS – dont le nom évoque probablement le séjour d'un Français – est un curieux mélange de cases typiques en bois et d'immeubles agressivement modernes, qui s'échelonnent jusqu'à une jolie baie abritant un port de plaisance.

Saint-Martin

A St-Martin, si vous n'êtes pas dans l'eau, vous n'en êtes pas bien loin.

Cette île a une double personnalité, et ses deux faces rivalisent pour vous séduire. Faisant partie à la fois des Antilles françaises et des Antilles néerlandaises, son nom est double, lui aussi: Saint-Martin, pour les Français, Sint Maarten pour les Hollandais.

La tradition dit que Christophe Colomb baptisa l'île le jour de la Saint-Martin, en 1493. Mais, vu le peu d'exacti-tude de la géographie à cette époque, des experts suggèrent que c'est en fait à Nevis, une île située plus au sud de l'archipel des Antilles, qu'il donna le nom que des cartographes attribuèrent ultérieurement à Saint-Martin. La ressemblance entre «Matinino» et «Martinique» ajoute à la confusion.

Ce qu'on peut dire en toute **63**

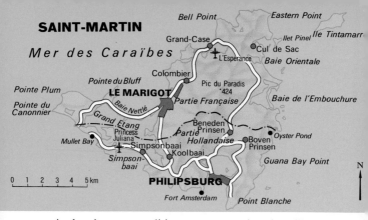

SAINT-MARTIN

Mer des Caraïbes

Bell Point · Eastern Point · Ilet Pinel · Ile Tintamarr · Grand-Case · L'Espérance · Cul de Sac · Baie Orientale · Colombier · Pointe du Bluff · Pic du Paradis 424 · LE MARIGOT · Partie Française · Baie de l'Embouchure · Pointe Plum · Pointe du Canonnier · Baie Nettlé · Grand Étang · Princess Juliana · Mullet Bay · Simpsonbaai · Partie Hollandaise · Beneden Prinsen · Boven Prinsen · Oyster Pond · Simpson-baai · Koolbaai · Guana Bay Point · PHILIPSBURG · Fort Amsterdam · Point Blanche

0 1 2 3 4 5 km

N

certitude, c'est que, politiquement parlant, l'île poursuit la plus longue des histoires d'amour: depuis 1648, Français et Hollandais se sont partagé les pouvoirs en toute harmonie. Lors de la division du territoire, la France reçut 54 km², la Hollande se contentant de 41, mais sa part incluait les importants marais salants situés près de Philipsburg*.

Ces premiers colons français et hollandais se mirent d'accord sur un autre point: aucun impôt ne frapperait les marchandises importées. C'est

pourquoi, aujourd'hui encore, vous pouvez y faire vos achats hors-taxe – un avantage que Saint-Barthélemy offre également (voir pp. 84–86).

Théoriquement, il existe une frontière, mais elle n'est gardée ni d'un côté ni de l'autre, et vous n'y verrez pas l'ombre d'un douanier. Vous vous apercevrez que vous l'avez franchie quand, selon la direction d'où vous venez, une inscription vous dira «Bienvenue partie française» ou une autre «Welcome to Sint Maarten». A part un monument commémoratif, c'est tout. Le service téléphonique se montrant parfois capricieux, il vaut souvent mieux passer la frontière que d'attendre qu'on vous donne le numéro que vous demandez de l'autre côté. Chaque partie a pourtant son identité propre.

* Selon la légende, le partage eut lieu de cette façon: un Français et un Hollandais se placèrent dos à dos, puis se mirent à marcher en direction opposée. Le Français couvrit plus de distance à cause de l'ampleur de sa foulée (d'autres disent que le Hollandais s'arrêta trop souvent pour boire un petit coup de genièvre).

64

Le côté hollandais, malgré les fins cigares, le genièvre et le *rijsttafel* indonésien, commence à ressembler à une plage américaine à cause des hordes de touristes qui y débarquent pour faire leur shopping.

Sint Maarten est l'un des endroits les plus animés et les plus cosmopolites des Caraïbes, tandis que Saint-Martin aime à paresser langoureusement au soleil. On y entend le français, que naturellement les enfants apprennent à l'école, et un parler créole chantant où l'on sent l'influence des immigrants venus de Haïti. Il y a 10 000 habitants dans la partie française, 20 000 dans la partie hollandaise.

Marigot

Cette sous-préfecture de la partie française de l'île est située sur une baie si calme que de très gros poissons s'aventurent étonnamment près du bord. Il faut dire qu'ils ne côtoient que des yachts et n'ont pas à craindre les gros bateaux de croisières – que Philipsburg accapare.

Au matin, cependant, ici comme en Guadeloupe ou en Martinique, le port s'anime pour accueillir chaleureusement les hommes qui rentrent de la pêche. Ne manquez pas de vous rendre sur les quais.

Non loin, assises sur de petits tabourets, des marchandes au large sourire vous proposent des fruits de l'arbre à pain, ou de la cannelle. Et l'on assiste à un tohu-bohu (relatif) lorsque arrive d'une autre île un bateau chargé pêle-mêle de bétail et de touristes en chapeaux de paille.

Les Hollandais ayant un fort, les Français ne pouvaient manquer d'en avoir un. Il vaut la peine de grimper en quelques minutes jusqu'au **fort Saint-Louis,** ne serait-ce que pour la vue sur la baie de Marigot. Ce bastion date du XVIIe siècle et il porte largement son âge; son canon rouillé n'impressionne même pas les moutons qui paissent jusque sous son nez.

En voiture, vous pourrez atteindre **Grand-Case,** de l'autre côté de la colline. Bien moins importante que Marigot, cette petite ville sans histoires, qui épouse joliment la courbe de sa plage, comporte cependant plusieurs restaurants, des endroits où loger, et même un petit aérodrome nommé Espérance construit sur d'anciennes salines (liaisons avec Pointe-à-Pitre et Saint-Barthélemy). En route vers Bell Point, vous verrez au large la petite île d'Anguilla tout entourée de plages merveilleuses.

Les plages et la mer

En comptant les petites anses auxquelles on n'accède que par la mer, il y a à Saint-Martin 36 plages de sable, souvent d'une blancheur éclatante, et des hôtels érigés au bord des plus belles. L'une d'elles est réservée aux nudistes.

Houleuse ou sereine, d'un bleu profond ou d'un turquoise clair, l'eau est limpide et invite à l'exploration sous-marine. Des barques vous emmèneront vers des criques isolées ou des îlots tout proches. L'épave d'un navire de guerre anglais, qui coula en 1801 sur un récif à quelques kilomètres de la côte, ferait rêver n'importe quel plongeur. D'un bateau à fond transparent, vous pourrez voir des tortues et des mérous géants tourner autour des canons engloutis.

On trouve un peu partout des voiliers de toutes sortes à louer. Les débutants apprécieront les eaux tranquilles de Simson Baai, lagune la plus étendue des Antilles. Les vieux loups de mer prendront le large vers les petites îles hollandaises de Saint-Eustache et de Saba, ou l'île française de Saint-Barthélemy. Pour ceux qui ne rêvent pas d'être seul maître à bord, il existe un choix d'excursions d'une journée en bateau à voiles ou à moteur. Les hôtels offrent des possibilités de pêche en haute mer et de ski nautique.

Végétation éclatante, sortilèges des tropiques! Saint-Martin: des côtes comme à l'aube des temps.

Visite de l'île

Sans bousculer le rythme de vos vacances, en prenant même le temps d'une baignade et d'un déjeuner, vous pouvez faire en un jour le tour des curiosités de Saint-Martin. Vous verrez beaucoup de pâturages délimités par des murets de pierre. Pas d'embouteillages sur les routes. Si vous louez une voiture, on vous remettra une cassette enregistrée qui vous servira de guide. Des excursions en autocar sont également prévues – et les chauf-

Aujourd'hui sur l'arbre, demain dans votre verre ou votre assiette.

feurs de taxi seront toujours heureux de vous offrir leurs services.

Ce dont on ne se lasse pas dans cette île, c'est du spectacle d'autres îles. Aux abords de Philipsburg, on a un «point de vue» sur quatre d'entre elles: Nevis, St-Kitts, Saint-Eustache et Saba; et de la route qui serpente sur les hauteurs entre Philipsburg et Oyster Pond, l'apparition de Saint-Barthélemy, surgissant au loin d'une nappe d'Océan d'un bleu intense, est saisissante de beauté.

SAINT-BARTHELEMY

Saint-Barthélemy

Avec ses 25 km² de superficie, c'est là sans doute que la France a son plus joli prolongement. En 1493, Christophe Colomb donna à l'île le nom de son frère. Aujourd'hui, on l'appelle familièrement «Saint-Barth». Tout y est absolument paisible, absolument merveilleux: un relief en montagnes russes, des anses rocheuses, des plages de sable poudreux, une mer azurée.

Pépiant dans ses halliers, des myriades d'oiseaux: ventres-jaunes, rouges-gorges, colibris. Leur nombre dépasse de beaucoup celui des habitants – 3000 «Saint-Barths», Blancs pour la plupart (descendant souvent de Normands et de Bretons par-

fois huguenots), et quelques familles de Noirs.

Ce qui frappe le visiteur, c'est combien ils sont tous simples, ouverts, d'une extrême gentillesse. Entre eux, ils parlent, avec un accent proche de celui des Canadiens francophones, un français archaïque truffé d'expressions anglaises et suédoises* – et c'est bien déroutant pour quiconque n'est pas natif de Saint-Barthélemy.

Maintenant que l'île possède un aéroport international, le nombre des visiteurs augmente sans cesse. Les jeunes Français, attirés par la nonchalance de l'atmosphère et le petit air français du lieu, viennent grossir les rangs

---

* Saint-Barth fut la seule possession suédoise dans l'hémisphère occidental, et ce pendant un siècle – jusqu'en 1878 (voir p. 22).

des touristes américains. Cet afflux de vacanciers a provoqué un rapide développement de la construction dans toute l'île, ainsi qu'à Gustavia, petite capitale nichée dans un pittoresque port naturel. Mais rien ne dépare jusqu'à présent le paysage et Saint-Barth n'a rien perdu encore de son charme.

La façon la plus simple, pour s'y rendre, c'est de prendre l'avion à Saint-Martin ou à la Guadeloupe. Par mer, si vous n'avez pas votre propre bateau, il n'est d'autre possibilité que de venir de Saint-Martin par vedette – 15 milles marins sur une mer parfois houleuse.

Gustavia

Quand vous le verrez, vous comprendrez pourquoi le port rectangulaire de Gustavia a la faveur des amateurs de yachting. Vous pourrez y louer un bateau de plaisance ou de pêche, mais *attention,* le risque de *cigaterra* (voir p. 122) existant dans toutes les Caraïbes, consultez les gens du cru avant de consommer du poisson pêché par vous-même.

En une matinée, vous aurez fait connaissance de tous les habitants de cette «capitale» sans prétention. Le nom que lui donnèrent les Suédois est un hommage au roi Gustave III. En 1785, ils en firent un port franc. Aujourd'hui encore (comme à Saint-Martin), tout ce que vous achèterez sera hors-taxes (voir p. 84). L'alcool et le tabac sont avantageux. Plusieurs magasins français vendent des marchandises venues du continent, mais le choix en est plutôt limité.

Si la visite des deux églises toujours fréquentées est d'un intérêt relatif, les trois forts en ruine qui surplombent Gustavia n'ont plus de raison d'être. L'île n'a pas besoin d'être défendue – sinon contre l'invasion des touristes.

A travers l'île

Pour voyager, on peut choisir entre le taxi et les divers véhicules en location, y compris de petits ânes et des bogheis de plage, qui constituent le meilleur moyen de se déplacer dans l'île. Passer plus de quatre heures sur des routes pavées ou non – routes dont beaucoup mènent à des culs-de-sac que rien n'annonce – est assez éprouvant. Mais où que ce soit, si vous vous trouvez en difficulté, on vous prendra facilement en stop. Au cours de ces dernières années, le nombre de véhicules à moteur a, en effet, considérablement augmenté, et l'on estime qu'il atteint à l'heure actuelle deux par habitant.

A chaque tournant d'une route toujours étroite, vous serez tenté de sortir de voiture pour admirer tel paysage marin, tel panorama. Au point le plus élevé de la **route du Vitet,** la vue est très belle sur l'Anse du Grand Cul-de-Sac – plan d'eau favori des «fana» de la planche à voile – et, plus au loin, sur la Tortue, îlot de l'Atlantique. De la **Pointe Milou,**

A la plage de Saint-Jean, prenez le temps de vivre.

un promontoire sauvage, on peut par temps clair compter jusqu'à neuf îles ou rochers émergeant de la mer. On trouve ici en abondance ces cactées appelées *Têtes-à-l'Anglais,* peut-être à cause du rouge de leurs protubérances – couleur de l'uniforme des *redcoats* britanniques.

Les Antilles françaises sont peut-être matriarcales, mais à Saint-Barth c'est bien le père qui est le chef de famille. Presque tout le monde va à l'église; les catholiques (la majorité), le samedi soir ou le dimanche matin. Vous admirerez, à la sortie de la messe, ces coiffes blanches amidonnées, ou *quichenottes,* que portent encore couramment les femmes du village de pêcheurs de Corossol et qui remontent au temps des colons huguenots.

Les plages

Comme dans la plupart des îles antillaises, les plus belles plages de Saint-Barth sont souvent d'accès difficile. Ainsi, des falaises entourent la plage du **Colombier,** magnifique par son sable roux et sa bordure de cocotiers. Y arriver en bateau est très agréable. Sinon, quand la route s'arrête, il faut marcher une demi-heure pour atteindre ce paradis qu'un riche banquier américain, David Rocke-

feller, a choisi pour résidence de vacances, ainsi que, après lui, des membres des familles Rothschild et Ford.

Des plages presque aussi belles, presque aussi tranquilles, mais où les raisiniers et autres arbustes offrent moins d'ombrage, sont accessibles par la route: celles de **Gouverneur** et de **Grande Saline,** au sud de l'île. La légende veut que le célèbre flibustier français, Montbars l'Exterminateur, ait enfoui un trésor dans les parages.

Facile également d'accès, la **plage de Saint-Jean** est la plus connue et la plus souvent photographiée des 22 plages de l'île. Elle se compose en fait de deux croissants de sable clair, séparés par un promontoire rocheux. Ses eaux sont parfaites pour la natation. Par contre, des courants (souvent très forts) font que la **plage des Flamands** est peu recommandée aux enfants et aux nageurs médiocres.

A **Corossol,** à la **Anse des Cayes** et à la **Anse de Lorient,** vous partagerez la plage avec des pêcheurs dont les bateaux sont peints de couleurs gaies.

Tout autour de Saint-Barthélemy, des îlots coralliens permettent de riches explorations sous-marines: pêche, plongée, photographie.

Que faire

Les sports

Quelle que soit la saison choisie pour visiter ces îles, vous passerez la plus grande partie du temps en plein air, au bord de la mer ou en bateau. Prenez garde, les rayons du soleil tropical peuvent vous jouer de mauvais tours. Il suffit de 15 à 20 minutes – même à l'ombre d'un cocotier – pour que votre peau réagisse cruellement. Au début, prenez le soleil à toutes petites doses.

Natation

D'origine corallienne ou volcanique, le sable des rivages antillais varie de crique en crique, allant du blanc d'ivoire au gris presque noir. En Guadeloupe, c'est à Grande-Terre que sont les meilleures plages, blanches ou brunes. A Basse-Terre, elles sont de sable volcanique sombre dans la région de la Soufrière, et de sable blond dans le nord. On dit dans le pays qu'on bronze mieux sur du sable foncé. En Martinique, les plages septentrionales doivent leur couleur sombre à la montagne Pelée. Saint-Martin et Saint-Barthélemy, bien

qu'originellement de formation volcanique, n'ont que des plages de sable clair. De toute façon, si votre hôtel n'a pas de plage exceptionnelle, il s'en trouvera une un peu plus loin.

Pour la natation, les conditions varient elles aussi considérablement d'une île à l'autre. Vous distinguerez sans mal les côtes où l'on peut nager en toute sécurité dans une eau dont la surface est à peine ridée. Pour les autres, faites preuve de prudence si vous n'êtes pas un nageur accompli. Les récifs de corail réduisent souvent la force des vagues mais ne protègent pas toujours de forts courants marins, surtout dans l'Atlantique. Il faut aussi tenir compte du fait qu'en hiver la mer est plus houleuse. Selon l'Office du Tourisme de la Martinique, les plages les plus sûres pour les nageurs inexpérimentés sont à Sainte-Anne, Trois-Ilets, Sainte-Luce, Trinité et Carbet.

A propos des requins: on ne signale aux Antilles françaises aucun incident dont aurait été victime un nageur ou un plongeur. On n'a même jamais vu de requin près des côtes guadeloupéennes. En Martinique, très rarement, et pas davantage dans les îles plus au nord. Néanmoins, il vaut mieux ne pas nager à la nuit tombée.

Pour une somme modique, on peut, sans être client, avoir accès aux plages d'un grand nombre d'hôtels de la Guadeloupe et de la Martinique, ce qui est intéressant lorsqu'on aime aller d'une île à l'autre sans trop s'y attarder.

Il y a d'ailleurs de belles plages publiques qui sont souvent agréablement désertes.

Plongée et pêche sous-marines

Les sports sous-marins ont donné à d'innombrables touristes les joies les plus mémorables de leurs vacances aux Antilles. Inutile d'apporter un équipement. Au cas où votre hôtel ne le mettrait pas gratuitement à votre disposition, vous pourrez le louer ou l'acheter à bon prix. Même si vous êtes débutant, pourvu que vous sachiez flotter sur l'eau, vous apprendrez en quelques minutes à vous servir du tube respiratoire et à regarder à travers le masque.

C'est surtout autour des récifs coralliens ou des îlots déserts que vous ferez les plus belles plongées – et photographies – sous-marines. Vous trouverez sans mal un bateau pour vous y conduire. Et vous découvrirez la faune multicolore de ces fonds: poissons-per-

roquets, poissons-anges, coraux aux formes étranges, langoustes et tortues dans les crevasses. L'eau est si claire qu'on peut voir jusqu'à 30 mètres de profondeur.

La chasse sous-marine avec fusil-harpon (sans bouteille) est autorisée, mais prenez toujours avis des pêcheurs du coin avant de consommer ce que vous aurez capturé (voir sous SANTÉ, p. 122). Vous rencontrerez entre autres des mérous géants, des sérioles, des paste-

74

nagues, des murènes. L'équipement peut se louer dans des centres de sports nautiques.

Pour la plongée avec bouteille, les principaux hôtels procurent un équipement et, si besoin est, un moniteur. Ce sport, déjà populaire en France métropolitaine, trouve ici un cadre idéal grâce à la transparence de l'eau et à la richesse de la vie sous-marine. La mer restant tiède toute l'année, vous n'aurez pas besoin de combinaison de plongée.

Voile, windsurf, ski nautique

Presque tous les hôtels vous loueront de petits voiliers (y compris le toujours populaire *Sunfish*). Des voiliers avec équipage sont aussi disponibles, et vous pourrez prendre des leçons de voile. Des excursions sont proposées sur des bateaux où vous vous reposerez, tandis que l'équipage fera le travail.

Le *windsurf* est très à la **75**

mode aux Antilles; vous verrez partout ces planches surmontées d'un mât et d'une voile de couleur. C'est un sport plus difficile qu'il n'y paraît, mais tout est prévu si vous avez besoin de leçons...

Le ski nautique se pratique moins, mais certains hôtels vous fourniront un canot à moteur et des skis.

Yachting

Comme tous les gens des îles vous le diront, on ne peut atteindre que par mer la plupart des plus belles plages et criques. Vous pourrez fréter un sloop ou un catamaran (avec son skipper). L'idéal est évidemment de passer un jour, une semaine ou un mois, poussé par l'alizé et porté par les courants.

De la Martinique, les navigateurs aiment aller en 10 ou 15 jours à Sainte-Lucie et aux Grenadines. De la Guadeloupe, votre but pourra être Les Saintes ou Marie-Galante ou, plus loin, Antigua. Ces îles ont toutes de bons mouillages. Au départ de la Martinique ou de la Guadeloupe, un deux-

Un petit coup d'alizé sur une mer d'huile et, sur une frêle planche, vous mettez le cap sur l'aventure. **77**

mâts de 12 m., avec son capitaine et un homme d'équipage (huit personnes peuvent prendre place à bord), vous coûtera une petite fortune!

Il vous faudra prouver votre expérience de la navigation si vous voulez prendre vous-même les choses en mains. Vous trouverez différents types de bateaux à l'appontement du Carénage de Pointe-à-Pitre, à Fort-de-France, à la Marina de la Pointe du Bout et à Marigot. En pleine saison (de la mi-décembre à la mi-avril), les tarifs augmentent.

Parmi les yachts que vous pouvez fréter à la Guadeloupe se trouve un ketch de 25 m. qui avait été construit pour le roi Farouk.

La pêche

Les Antilles françaises vous offrent maintes possibilités de montrer comment vous savez manier une ligne, de la côte ou en mer. Un certain nombre de bateaux sont disponibles pour la pêche en haute mer; quatre personnes peuvent généralement y prendre place: une expérience inoubliable! Les gens des îles seront heureux de vous emmener dans leurs embarcations frustes mais qui ont résisté à l'épreuve du temps. Il

vous faudra peut-être alors donner un coup de main pour les filets et les nasses – et ce sera une expérience très instructive.

La pêche au lancer, avec leurres, rend exceptionnellement bien en trois points de la côte sud-est de la Martinique: au cap Ferré, au cap Macré et au cap Chevalier. Elle est également excellente à l'Ilet Hardi, à la Pointe Baham et à Grand-Rivière. Vous attraperez, entre autres, des barracudas, des tarpons (surtout près du Vauclin, en utilisant des appâts), des mérous et d'autres genres d'épinéphèles, des coryphènes.

En Martinique, la pêche à la ligne de fond est particulièrement fructueuse au Robert et aux Salines: mérous, pagres rouges, tarpons, poissons-perroquets et bien d'autres.

En Guadeloupe – où vous trouverez davantage de bateaux bien équipés pour la pêche sportive en haute mer – les eaux sont le domaine du tazar, du thon, du barracuda, de la bonite et du coryphène. Vous pêcherez aussi bien certains de ces poissons autour de Saint-Martin (où une douzaine de bateaux sont à fréter).

Avant de faire frire vos prises, assurez-vous qu'elles sont comestibles auprès des pêcheurs de l'endroit, ainsi que nous vous l'avons déjà dit.

Golf

Non loin du village natal de Joséphine, à La Pagerie, se trouve un terrain de golf à 18 trous. Il n'est qu'à quelques kilomètres des hôtels de la Pointe du Bout, dont certains ont des accords avec le club. C'est un Américain, Robert Trent Jones, qui a dessiné ce parcours de plus de 6 km., c'est dire qu'il n'est pas des plus aisés – surtout qu'il n'est pas rare qu'il y ait du vent. De plus, vous devrez passer 8 trous sur l'eau, dont 2 sur la baie de Fort-de-France. Le link de 18 trous de la Guadeloupe, aussi une création de Robert Trent Jones, se situe près de Saint-François.

Combats sanglants

Les Antilles françaises partagent la passion des combats de coqs avec les autres îles des Caraïbes. Les deux adversaires, leurs ergots armés d'éperons d'acier, s'affrontent dans une petite arène appelée *pitt*, jusqu'à ce que l'un succombe. Les spectateurs misent de grosses sommes sur l'issue de la rencontre.

Il vous arrivera aussi d'assister à un duel entre une mangouste et un serpent. D'ordinaire, c'est la mangouste qui tue le reptile – mais pas toujours au premier essai!

Les prix, par semaine, dépendent de l'hôtel dans lequel vous séjournez; ils sont plus bas dans les établissements affiliés au golf de la Guadeloupe, mais peuvent varier du simple au quadruple. Bien entendu, vous pourrez louer un chariot électrique pour transporter vos clubs (éventuellement un chariot à main, plus avantageux), et des caddies sont à votre disposition.

Dans l'île de Saint-Martin, les touristes peuvent utiliser le terrain de golf de Mullet Bay, dans la partie hollandaise.

Tennis

Vous pourrez jouer au tennis, de jour ou de nuit, dans tous les hôtels de villégiature en Guadeloupe, dans la plupart de ceux de Saint-Martin, et dans quelques-uns en Martinique (où les touristes ont à leur disposition les courts de deux clubs privés: Tennis Club de Fort-de-France et Tennis Club du Vieux Moulin. En dehors des hôtels, le tennis devient un sport assez cher, surtout si vous préférez le pratiquer à la fraîche, en nocturne. Il est par ailleurs possible de louer l'équipement. Plusieurs hôtels proposent une formule de «vacances-tennis» incluant, au besoin, des leçons. Attention: jusqu'à ce que vous vous soyez habitué au climat, ne jouez pas le matin après 10 h. ni l'après-midi avant 16 h. 30.

Randonnées à pied

L'immense parc Naturel de la Guadeloupe comporte des pistes qui traversent la forêt tropicale et grimpent jusqu'aux abords du cratère de la Soufrière. L'Office du Tourisme de Pointe-à-Pitre vous remettra un guide de ces sentiers, précisant la durée et les difficultés des divers parcours.

En Martinique, attention

Un sentier en pleine forêt vierge pour aller aux chutes du Carbet.

aux serpents; portez de hautes bottes pour vos excursions pédestres et ne vous écartez pas des pistes jalonnées. La réserve naturelle de la presqu'île de la Caravelle en est sillonnée, et des guides pourront vous entraîner plus au nord sur d'autres sentiers plus ardus, à l'assaut de la montagne Pelée. Un chemin relie le Prêcheur à Grand-Rivière: une excursion de six heures, vous dit-on.

Equitation

En Martinique, vous pourrez louer une monture ou prendre des leçons. Votre hôtel vous renseignera sur les diverses possibilités.

En Guadeloupe, on organise des randonnées équestres. Renseignez-vous auprès du Comité Guadeloupéen des Sports Equestres, B.P. 758, 97172 Pointe-à-Pitre.

A Saint-Barth, «La Petite Ferme» met sur pied des randonnées qui ont lieu le dimanche.

Les achats

Si vous n'êtes pas Français, pensez tout d'abord à tout ce qui vient de France. En Guadeloupe et en Martinique, les achats avantageux sont les parfums, les articles de mode de Paris, le cristal et autres produits de luxe. Dans les îles

hors-taxe comme Saint-Martin et Saint-Barthélemy, l'éventail des bonnes affaires est même plus large. Dans ces quatre îles, n'oubliez pas l'artisanat local, surtout dans les endroits pas trop touristiques. Et n'hésitez pas à marchander.

Dans les boutiques des hôtels, les prix peuvent ne pas être ceux que vous trouveriez en ville dans les rues commerçantes. Comparez avant de faire un achat important. Les heures d'ouverture sont les suivantes: de 8 h. à midi et de 14 h. à 17 h. pour les petits commerces; de 8 h. 30 à 12 h. 30 et de 14 h. 30 à 17 h. 30 pour les supermarchés et les grands magasins; de 9 h. à 13 h. et de 15 h. à 18 h. pour les boutiques.

Certains magasins ouvrent plus tard, ou le dimanche ou encore durant les jours fériés, lorsque des bateaux de croisières sont au port. Les meilleurs établissements sont climatisés.

On accepte aussi bien les dollars canadiens et américains que l'argent français. En Martinique et en Guadeloupe, les achats payés en chèques de voyage (et souvent, en Martinique, ceux payés avec une carte de crédit), bénéficient dans plusieurs magasins d'une réduction de 20%.

Ni la Martinique ni la Guadeloupe ne sont des zones franches (excepté les boutiques hors-taxe aux aéroports). Mais la plupart des produits venant de France sont vendus dans les îles aux prix fixés en métropole, si bien qu'ils sont bien plus avantageux ici qu'en Amérique du Nord, par exemple.

Pour éviter des ennuis avec la douane en retournant dans votre pays, demandez une facture pour tout ce que vous achetez.

Vos achats en Guadeloupe

En plus des diverses boutiques installées dans les hôtels ou à proximité, le quartier commerçant de Pointe-à-Pitre s'étend sur plusieurs rues à partir du débarcadère des bateaux de croisières.

Meilleurs achats: parfums français, soieries, porcelaine, cristal, alcools et vins fins.

Bons achats: tentures à motifs créoles, bijoux d'écaille ou de coquillages, chapeaux et nattes de paille (faits, en particulier, à Saint-Barthélemy), rhum, lambis (vous aurez pour quelques francs des spécimens énormes de ce beau coquillage auprès de marchands ambu-

La modestie d'une boutique peut cacher des trésors insoupçonnés.

lants près du quai où embarquent les passagers des croisières – seulement quand un bateau doit partir).

Le souvenir type à rapporter de la Guadeloupe est un *poisson lune* qui, s'il est assez grand, peut devenir un abat-jour original! Vous remarquerez aussi des objets faits avec des dents de requin, ou même des mâchoires entières.

Vos achats en Martinique

Toute la partie sud de Fort-de-France est une zone propice aux achats. Les touristes de la Pointe du Bout ont intérêt à prendre le ferry-boat qui en 20 minutes les y amènera, plutôt que de se limiter aux boutiques avoisinant leur hôtel. Dans toute l'île, vous trouverez des boutiques d'artisanat local.

Meilleurs achats: comme en Guadeloupe, parfums et produits de luxe français; très jolies cravates, et foulards de soie signés, alcools, conserves, cristal, porcelaine. Une réduction de 20 % est accordée aux clients qui paient avec des chèques de voyage.

Bons achats: les fameuses poupées martiniquaises en costume traditionnel: foulard, madras...; des boîtes et plateaux en vannerie tressée, des objets d'écaille de tortue ou de corail, des tapisseries et, en-

Tout n'est pas authentique! Sinon où serait le plaisir de fouiner?

fin, l'ineffable rhum, ambré (vieux) ou blanc.

Avant d'acheter des anthuriums et autres fleurs tropicales, soyez sûr que les douaniers ne s'opposeront pas à leur entrée dans votre pays.

Le quartier commerçant de Fort-de-France est situé entre La Savane et la rivière Levassor. Mais explorez les étalages qui font face au quai d'où partent les ferry-boats: au milieu des paniers et des chapeaux de paille, des lambis, des couverts en bois et des colliers de coquillages, vous ferez peut-être une bonne affaire en marchandant un peu.

Il est surprenant de voir qu'en Martinique, on vend aussi bien de la bijouterie venant de Chine, des Philippines, d'Afrique, de Haïti ou du Japon, que de l'onyx d'Argentine et des pendentifs en cartilage de requin faits en Uruguay.

Le plaisir d'acheter hors-taxe

A Saint-Martin et à Saint-Barthélemy, les prix de presque tous les articles sont plus bas que n'importe où ailleurs dans les Caraïbes. A Philipsburg, Marigot ou Gustavia, il vous

Des heures et des heures de travail... et pourtant les paniers sont toujours aussi bon marché.

turellement payer, selon l'endroit, en monnaies française ou hollandaise.

Dans ces deux îles comme dans les autres, c'est surtout aux abords des quais où arrivent les bateaux que le commerce est le plus actif. Il y a cependant quelques boutiques intéressantes à Grand-Case.

Parmi les meilleurs achats à faire dans la partie française de Saint-Martin et, à un moindre degré, à Saint-Barthélemy: parfums et produits de beauté, bagages, articles de mode, tissus, dont le madras, cristaux, cuir, vêtements d'enfants, statuettes, vannerie.

Les boutiques de Front Street à Philipsburg affichent souvent «le tabac le moins cher des Caraïbes», et cela inclut une sélection de cigares de La Havane. Autres très bons achats: montres, jumelles, appareils photographiques, radios, magnétophones, faïence de Delft, orfèvrerie, soieries thaïlandaise, miroirs péruviens, argenterie, alcools.

Tout achat ne constitue pas forcément une bonne affaire si vous comparez le prix d'un appareil de photos, par exemple, ou d'une petite calculatrice électronique, à celui que vous paieriez dans votre pays. Mais ici, il n'y a pas de T.V.A., ni rien qui s'en approche.

faudra un certain temps pour réaliser que vendre «hors-taxe» n'est pas le privilège de quelques magasins, mais de tous. Et vous aurez envie d'y faire, même à l'avance, votre shopping de Noël. Les prix sont presque toujours marqués en

dollars, mais vous pouvez na-

Culture locale et manifestations

La musique et la danse

Les rythmes antillais constituent l'un des plus grands attraits de ces îles. Tous les insulaires aiment danser, quel que soit leur âge. La *biguine*, gaiement provocante, la romantique mazurka créole ou *mazouk* et la sensuelle *calenda* font souvent place au *calypso* de la Trinité (et à son merveilleux *steel band*, un ensemble de percussion utilisant en guise d'instruments toutes sortes de récipients métalliques aux timbres variés), à la *merengue* de la Dominique, au *reggae* et à la *rampa*, sans parler de la musique pop américaine ou européenne – cadeau des transistors.

Les danses antillaises au-

Quand il s'agit de musique, il n'est plus question de repos.

thentiques viennent des esclaves africains. Quelques-unes sont des adaptations des danses de leurs maîtres, les planteurs français. La *biguine* serait venue du Congo à la Martinique. Ces hommes et ces femmes qui savent vraiment la danser ont appris depuis leur enfance le mouvement des hanches et des genoux. La composition de l'orchestre rappelle celle du jazz «dixieland» de la Nouvelle-Orléans.

La danse appelée *laghia*, où deux hommes, au seul son des tambours, simulent un combat, a été apportée par des esclaves du Dahomey. C'est seulement à la campagne, lors de fêtes patronales, ou à des festivals folkloriques, que vous verrez d'autres danses *(rose, grage)*, qui miment les travaux des esclaves, et la *haute-taille* (adaptation du quadrille, au son d'un accordéon et d'une batterie à la Martinique, de guitares et d'un banjo en Guadeloupe), ou encore le *bel-air*, qui se danse au son de l'instrument du même nom, un tambour tendu de peau de chèvre.

Les Ballets Martiniquais, une troupe de 25 artistes, hommes et femmes, danseurs, chanteurs et musiciens, vous donneront l'occasion de voir exécuter des œuvres folkloriques. Il existe aussi de ces groupes en Guadeloupe. Vous pourrez admirer les charmants costumes traditionnels des femmes créoles: le turban de madras, l'ample jupe de madras portée sur un jupon de broderie, le foulard de soie, le corsage blanc, les boucles d'oreilles, les bracelets et le *collier-choux*.

Le carnaval

Ce n'est peut-être pas le plus déchaîné des Caraïbes, mais il dure 24 heures de plus que tous les autres. Dès le lundi commencent les défilés de chars et de gens aux costumes drôles ou grotesques. Le joyeux tumulte va s'amplifiant le jour du Mardi gras – où les rues sont envahies de «diables» et de «diablotins» – pour culminer le mercredi des Cendres, où des villes comme Pointe-à-Pitre ou Fort-de-France sont livrées aux «diablesses» vêtues de noir

Qui s'amuse le plus? Le public ou les acteurs du Ballet Martiniquais?

et blanc, qui se trémoussent au son des *biguines*. L'effigie de Vaval, le roi du carnaval, est brûlée à la tombée de la nuit, mais la sarabande se poursuit frénétiquement jusqu'après minuit.

Fêtes et festivals

En plus du carnaval et des fêtes patronales dans les villages, voici les réjouissances qui vous attendent:

Fête des Marins-Pêcheurs: fin juin, en Martinique, avec défilés, costumes traditionnels et festins de poisson.

Fête des Cuisiniers: début août, à Pointe-à-Pitre, avec un défilé pittoresque pour vous mettre en appétit, une cérémonie religieuse en l'honneur de saint Laurent (choisi comme patron des cuisiniers parce qu'en 258 apr. J.-C. il fut brûlé sur un gril), et de monumentales festivités publiques incluant des chants, des danses et une généreuse consommation de punch au rhum.

La Toussaint (1er novembre): une belle et originale tradition antillaise veut qu'à la nuit on allume des bougies sur toutes les tombes des cimetières.

Les danseurs antillais allient la grâce à la joie de vivre.

Croyances populaires

Ne dormez pas à la clarté des rayons de la lune, les traits de votre visage s'en trouveraient déformés; versez du rhum dans la bouche de celui qui vient de mourir pour le réconforter, sinon il reviendra hanter la maison: deux superstitions parmi bien d'autres. Les étranges petits paquets d'herbes et de brindilles que vous voyez au marché sont censés avoir des pouvoirs magiques, selon des traditions qui remontent souvent au passé africain d'une grande partie de la population. Il ne s'agit cependant pas du vaudou haïtien, on ne met pas en scène des séances de «magie noire» pour touristes.

Autrefois, les missionnaires disaient aux malades à qui ils donnaient une potion: «tiens, bois!». Ces deux mots semblaient opérer des guérisons magiques; on les souda en *quimbois*, et aujourd'hui encore on trouve dans presque tous les villages martiniquais et guadeloupéens des *quimboiseurs* qui préparent de mystérieuses mixtures. Ils sont considérés comme capables de lire dans votre avenir, de trouver une solution à vos problèmes, et même de jeter un sort à vos ennemis.

Un touriste ordinaire aura du mal à obtenir plus de détails sur cette magie appelée *obeah*. **91**

La vie nocturne

Les Antilles françaises ne semblent pas près de devenir le Saint-Tropez des Caraïbes. La Guadeloupe fait pourtant un effort dans le sens des distractions nocturnes. En plus de celles qu'offrent les hôtels, on trouve sur sa «riviera» (le long de la côte méridionale de Grande-Terre), quelques dis-

Lorsqu'on danse avec le feu, il ne faut pas perdre son sang froid.

cothèques et quelques boîtes de nuit, surtout fréquentées par les Guadeloupéens mais où les touristes seront les bienvenus. La publicité promet même quelques spectacles de strip-tease (à vous de juger si elle tient ses promesses!). Dans une île qui encourage le naturisme, qui s'en montrerait surpris?

Le problème en Martinique est que les hôtels de villégiature sont en général assez éloignés de l'endroit où l'on pourrait trouver quelque chose qui ressemble à une discothèque: Fort-de-France et sa banlieue. Mais ces boîtes sont essentiellement fréquentées par des Antillais qui s'y pressent. Rares sont les étrangers qui s'y introduisent. Les touristes préfèrent donc souvent danser et boire à leur hôtel où, faute de voir de vrais Martiniquais, ils entendront la dernière *calypso* parmi d'autres rythmes plus familiers. Mais le principal n'est-il pas en définitive de passer une agréable soirée?

La Guadeloupe et la Martinique possèdent chacune deux casinos, modestes mais tout à fait prêts à vous faciliter les choses si vous avez envie de risquer votre prochaine année de salaire. Vous pourrez jouer, de 21 h. à 3 h. du matin (ou plus), à la roulette, au black-jack, au baccarat, parfois au «craps» (jeu de dés) et, en Martinique, à la boule. Les consommations sont assez chères.

L'entrée au casino est naturellement payante. Vous devez être âgé d'au moins 21 ans et présenter *chaque fois* votre passeport ou une pièce d'identité.

A un taux légèrement désavantageux, vous pouvez changer des chèques de voyage contre des jetons. Gagnés par l'atmosphère sans cérémonie des îles, les casinos n'exigent pas que les hommes portent veste et cravate.

Les cinémas projettent surtout des films français, ou des films américains doublés en français.

A Saint-Martin, prolonger le dîner, au bord de l'eau, est la distraction favorite dans la partie française où presque toutes les lumières s'éteignent dès 9 ou 10 h. du soir. Pour plus d'animation nocturne, rendez-vous dans la partie hollandaise qui vous offre ses spectacles de variétés et les salles de jeux de ses hôtels.

A Saint-Barthélemy, peu après le coucher du soleil, le grand plaisir est de dormir. Cela peut sembler fade, mais dans une île comme celle-là, songez seulement aux rêves que vous pouvez faire!

La table et les vins

C'est aux Antilles françaises qu'on trouve la meilleure cuisine des Caraïbes – cela ne vous surprendra pas. Les plats créoles tout autant que les spécialités de la métropole sont une fête culinaire. Le chef qui les prépare peut aussi bien être natif de Lyon que d'un petit village guadeloupéen, mais vous sentirez toujours, à plus de 6000 km. de Paris, cet art de la bonne chère, ce flair gastronomique qui valent à la cuisine française sa réputation.

N'importe quel touriste sera ravi de manger de vrais croissants, de bons camemberts, de boire de grands crus. La seule différence qu'un palais délicat peut faire entre les restaurants français des îles et ceux de France, c'est qu'ici presque tout doit être importé, et que les ingrédients de votre veau aux champignons ou de votre canard à l'orange probablement surgelés, auront fait un long voyage.

Les bonnes raisons ne manquent donc pas d'essayer la cuisine locale, faite par des chefs antillais avec des produits du pays. Les restaurants créoles abondent. Ils sont en général plus petits, plus simples, et les repas y coûtent moins chers

que dans la salle à manger d'un hôtel.

Dans les restaurants, on sert le déjeuner de 12 h. 30 à 14 h. 30 ou 15 h., le dîner – souvent pris à l'extérieur – de 19 h. 30 à 21 heures. Pour les établissements les plus réputés, réservez votre table. Le service (qui peut aller jusqu'à 15%) est d'ordinaire inclus dans l'addition.

Ainsi donc, après avoir, comme les Antillais, absorbé votre *ti rhum punch*, voici ce que vous pourrez choisir:

94

Quoi de plus agréable qu'un buffet froid à l'hôtel.

Hors-d'œuvre et entrées

Accras – beignets typiquement créoles, à la morue, aux oursins, aux crevettes, à la viande ou aux légumes, que l'on vous sert bien chauds et qui se mangent avec les doigts. *Accras à pisquettes:* beignet fourré d'un minuscule poisson transparent, le *titiri*. Cette préparation est considérée comme étant le triomphe de la cuisine guadeloupéenne.

Boudin noir très épicé.

Harengs fumés à la Créole – ils viennent généralement de Norvège, ils sont flambés au rhum et on les sert avec une vinaigrette agrémentée d'oignons, accompagnés d'excellents concombres et avocats des îles.

Pâté en pot – c'est en fait une soupe d'abats de mouton et de légumes, avec du vin, des câpres et du cognac. Elle s'appelle *pâté en pot tortue* quand elle contient de la chair de cet animal.

Potage à la crème de coco – on vous le sert bouillant, parfois dans la noix elle-même.

Soupe z'habitant – elle est faite d'une dizaine de légumes du pays, coupés en fines lamelles.

Soupe au fruit à pain – elle contient également de l'oignon et du céleri.

Et partout d'excellentes soupes de poissons faites avec la marée du jour.

Plats de résistance

Matoutou (ou **matété**) **de crabes** – la chair du crabe est sautée à l'ail et aux oignons, avec piment, jus de citron, thym et autres épices.

Crabes aux ti bananes vertes – cette composition est accompagnée d'une sauce aromatisée.

Ouassous – grosses écrevisses de rivières et de torrents; un délice, mais elles deviennent malheureusement rares aux Antilles.

Lambi – on attendrit et on coupe en morceaux la chair de cet énorme coquillage si apprécié dans la région, avant de la faire sauter ou bouillir; on la sert avec une sauce à l'huile, au citron, à l'ail et autres condiments. (Aujourd'hui comme au temps des Caraïbes, les pêcheurs annoncent leur retour en soufflant dans ces conques marines.)

Blaff – cuit à l'étouffée ou au court-bouillon, ce plat est délicieux par la fraîcheur des poissons qui en sont la base. Dans sa préparation entrent du citron vert, de l'ail, du piment, du *bois d'Inde* et autres épices.

Court-bouillon à la Créole – tranches de poisson qui ont

La langouste
Aux Antilles, la langouste figure souvent sur les menus: profitez-en, car, vu les prix généralement pratiqués dans d'autres domaines, elle n'est pas chère! On la sert froide, en salade, avec parfois une garniture d'avocats; ou bien grillée, avec du beurre fondu et du citron ou de la mayonnaise. Des deux façons, elle est toujours délicieuse, et vous ne penserez pas à regretter la savoureuse chair des pinces de homard.

Osez dire qu'elles ne sont pas fraîches... la mer est à moins de cent mètres!

mariné dans du citron, de l'ail, du piment et du sel avant d'être bouillies avec de la ciboulette, encore de l'ail et du citron, des tomates et des fines herbes.

Calalou (*kallaloo*, aux Iles Vierges, «pepperpot» ailleurs) – la version française de ce ragoût odorant et onctueux, que l'on prépare partout aux Antilles, contient du jambon fumé, du lard ou du crabe, le tout mijoté avec de la ciboulette, de l'oignon, du persil, de l'ail et du piment, ainsi que des herbes vertes spéciales (*calalou*). Au temps du père Labat, il contenait jusqu'à 22 ingrédients.

Ti nin lan morue – cette composition de bananes vertes et de morue est typique de la Martinique et de la Guadeloupe. Pour l'accompagner, on sert entre autres (dans des bols séparés), des poivrons verts, des patates douces, des concombres, des lamelles de porc à l'ail. Nourrissant et assoiffant.

Anguille – il en existe plusieurs variétés que s'arrachent cuisiniers et ménagères à l'arrivée des bateaux de pêche. On les prépare de différentes façons, toutes délicieuses.

Oursins – ils abondent; on ne consomme que les oursins blancs, souvent en beignets, en omelettes ou *blaff*.

A noter: en Martinique, excepté pour le *blaff*, tous les

poissons sont d'abord marinés dans du jus de citron, de la ciboulette, de l'oignon, de l'ail, des piments, des clous de girofle, du *bois d'Inde* et autres épices locales. De semblables marinades sont de règle dans les autres îles, c'est ce qui donne au poisson ce goût délectable. On dit d'ailleurs que les poissons des mers chaudes sont les plus savoureux. Selon la saison, vous vous régalerez de thon, de bonite, de vivaneau, de colas, de tazar, et de plus menu fretin comme le coulirou argenté.

Les fromages et les desserts

Comme les fromages français voyagent bien, vous en trouverez une grande variété.

Pour le dessert, outre la pâtisserie française, goûtez cette spécialité créole: la tarte chaude à la noix de coco. On fait aussi un gâteau à la noix de coco. Les sorbets (coco ou ananas frais) sont souvent coiffés de crème Chantilly ou de crème au chocolat. Les fruits exotiques sont succulents et variés, et la saison des melons (*cantaloups*) commence très tôt.

Sur le pouce

Hé oui, l'influence américaine se fait aussi sentir aux Antilles françaises. Vous trouverez des *hamburgers* et des *hot dogs* (la moutarde qui enduit le petit pain suffirait à elle seule à justifier le mot *hot*).

Les boissons

Autre fierté des Antillais (après la beauté de leurs femmes et de leurs enfants): la qualité de leur rhum – de leurs rhums plutôt –, éminents produits des champs de canne à sucre.

Le *ti punch* (petit punch) en est l'expression achevée. Au rhum s'ajoutent du sirop de canne à sucre et une goutte de

«... Je vous l'assure, il y a des gens qui s'habillent pour déjeuner...»

citron. En Guadeloupe, les proportions sont les suivantes: deux tiers de rhum et un tiers de sirop. A la Martinique, elles sont de quatre cinquièmes de rhum et un cinquième de sirop! Souvent, on place devant vous deux bouteilles, l'une de rhum et l'autre de sirop, et on vous laisse faire le dosage. Les vrais Guadeloupéens vous diront qu'il ne faut pas ajouter de jus de citron ou d'autres fruits dans le rhum vieux (de couleur ambrée), mais seulement dans le rhum jeune (blanc). Et les puristes considèrent qu'un simple cube de glace détruirait le délicat bouquet du *punch.* Bien qu'on la serve surtout à l'apéritif, cette boisson met les Antillais en train dès le matin, leur sert de cordial avant d'aller se coucher et accompagne fréquemment leurs repas.

Autres boissons à base de rhum qu'apprécieront les touristes: le *planteur* (parfumé au jus de fruits), le *punch* au coco, aux goyaves, et le *daiquiri* (au jus de citron vert).

Curieusement, le rhum «agricole», produit direct de la distillation du jus de canne, n'est pas l'idéal pour confectionner la *piña colada,* cette boisson de Porto-Rico qui est le rafraîchissement favori aux Caraïbes – mousseuse et givrée, elle est à base de rhum «industriel», de crème de noix de coco, de jus d'ananas et de glace pilée.

A l'époque de la récolte de la canne à sucre, on vend dans la rue du pur jus de canne, épais, évidemment sucré mais non alcoolisé.

Par ailleurs, les touristes trouveront dans les bars de la Martinique et de la Guadeloupe les meilleures marques de whiskies, de vodka et de gin, et un plus grand choix de vins français que partout ailleurs dans cet hémisphère; sans parler des jus de fruits et des sodas, des pepsi et coca-cola. Outre les eaux minérales françaises, il en existe localement d'excellentes, comme l'eau de Didier, en Martinique.

Une riche tradition culinaire

Manger créole, c'est se délecter de plats concoctés depuis des siècles, fusion de tendances culinaires aussi diverses que celles d'Afrique, d'Espagne et de France. Mais à la base, il y a les préparations des Arawaks et des Caraïbes qui, aux dires des archéologues, se nourrissaient de façon fort équilibrée. Au XVIᵉ siècle, le boucanage, l'apanage des boucaniers, ces aventuriers qui constituaient des réserves de viande de bœuf séchée, marquera la cuisine créole de son empreinte. De nos jours encore, on se régale de *boucan* de cochon de lait farci.

Avec l'arrivée des colons, les méthodes culinaires s'affinent. Puis les Africains apporteront une note d'exotisme aux plats. Les *accras* que vous dégusterez, fourrés de mille merveilles, en sont un exemple, de même que le *calalou* sous toutes ses formes. Quant à la subtilité des parfums, à la saveur délicate des mets, ne seraient-elles pas dues à la sensibilité des immigrés de l'Inde?

Véritable creuset de multiples recettes, la cuisine créole regorge de saveur et d'originalité qui n'ont d'égales que les noms des mets inscrits au menu des restaurants: *accras de malanga, cribiches zabitants, choux-palmistes, zerbes couresses*, gratins de *christophines*, morue raccommodée.

Il n'est pas de restaurant qui ne vous propose immanquablement du poisson, des fruits de mer ou des coquillages. La langouste abonde, le crabe emprunte toutes sortes de déguisements pour vous ravir: à la crème d'avocat et au lait de coco, en *calalou* ou farci (de confrères en principe... mais il en faut six pour remplir une coquille!).

Au cas où vous vous rabattriez sur le poisson, vous auriez le choix entre des vivaneaux, un gigot de requin, un court-bouillon de poisson...

À mi-chemin entre le poisson et la viande, il y a aussi la tortue qu'on vous présentera à l'indienne *(colombo)*, sous forme de steak, en ragoût ou en gratin. Les viandes, quant à elles, ne sont pas légion aux Antilles. Porc, volailles, bœuf, cabri préparés à la créole, à la française ou à l'indienne.

Les légumes présentent une très grande variété eux aussi.

Quant aux entremets, ils sont essentiellement composés de fruits tropicaux mûrs et chatoyants.

Tous les restaurants ne sont pas d'égale qualité. Mais, que vous mangiez dans un établissement offrant une cuisine très française – les adeptes du steak frites ne seront pas déçus – ou dans un bistrot créole tenu par une vraie *doudou* cordon bleu, la note sera redoutable. Reconnaissons pourtant qu'aux Antilles françaises, on mange mieux que partout ailleurs aux Caraïbes.

Antilles françaises: faits et chiffres

Géographie: Iles appartenant à la «chaîne» des Petites Antilles. Les deux plus grandes, distantes d'environ 120 km., sont la Martinique (1100 km²) et la Guadeloupe (1432 km², 1780 km² avec les dépendances), qui est formée de deux parties séparées par un bras de mer, la rivière Salée. Plus petites, la Désirade, Marie-Galante et les Saintes se situent à l'est et au sud de la Guadeloupe. Saint-Martin et Saint-Barthélemy se trouvent à quelque 250 km. plus au nord. Pour toutes ces îles, les côtes atlantiques sont plus accidentées que les côtes de la mer des Caraïbes. Les points culminants sont le volcan de la Soufrière (1467 m.) à la Guadeloupe, et la montagne Pelée (1397 m.) à la Martinique.

Climat: Les Petites Antilles jouissent d'un climat tropical humide, avec une saison relativement sèche (de décembre à mai); voir, à ce sujet, à la page 105.

Population: Elle dépasse 650 000 âmes (Blancs, Noirs, créoles, mulâtres, Asiatiques).

Villes principales: Pointe-à-Pitre (100 000 hab.) est le plus grand centre de la Guadeloupe, bien que le chef-lieu soit Basse-Terre, localité plus petite. Fort-de-France (100 000 hab. env.) est le chef-lieu et le grand centre commercial de la Martinique. Autres villes: les ports de Marigot (Saint-Martin) et Gustavia (Saint-Barthélemy).

Administration: Les Antilles françaises forment deux départements français d'outre-mer: celui de la Guadeloupe (dont dépendent Saint-Martin, Saint-Barthélemy, la Désirade, les Saintes et Marie-Galante) et celui de la Martinique, administrés par des préfets nommés par le ministère de l'Intérieur. Chaque département envoie trois députés et deux sénateurs au parlement de la métropole. Sur place, on élit un Conseil général et un Conseil régional. Le Comité économique et social a un rôle consultatif.

Economie: Agriculture (sucre, bananes, ananas, rhum, café, noix de coco, épices) et tourisme.

Langues: Français, créole.

BERLITZ-INFO

Comment y aller

Dans ce chapitre, nous nous efforçons de vous donner les toutes dernières informations au sujet des vols, de leurs fréquences et des prestations offertes aux voyageurs. Mais l'évolution en la matière est si rapide que ce que nous imprimons aujourd'hui peut s'avérer caduc demain. Aussi, pour être sûr de toutes les possibilités existantes, adressez-vous à votre agent de voyages.

PAR AIR

Vols réguliers

Au départ de la Belgique. A défaut d'une liaison directe entre Bruxelles et les Antilles, vous avez intérêt à gagner Paris (voir ci-dessous).

Au départ du Canada. Il y a, selon la saison, de une à deux liaisons par semaine. Comptez 4 h. 35 de vol pour la Guadeloupe et 6 h. 15 pour la Martinique.

Au départ de la France. *Paris–les Antilles.* La ligne est desservie chaque jour; le vol Paris–Pointe-à-Pitre dure 8 h. 35 (10 h. 45 *via* Fort-de-France), et la liaison directe Paris–Fort-de-France 8 h. 45. *Province–les Antilles.* Chaque semaine, il y a un vol (Paris–)Bordeaux–Fort-de-France–Pointe-à-Pitre en 8 h. 15/10 h. 15; en saison (fin juin–début septembre), la ligne est desservie deux fois par semaine. Il existe en outre un service par semaine entre Mulhouse–Lyon et les Antilles; en saison, une liaison hebdomadaire est établie entre Lyon, Fort-de-France et Pointe-à-Pitre.

Au départ de Suisse. A défaut de service direct, le mieux est, depuis Genève de rallier Bâle/Mulhouse, Lyon, voire Paris.

Liaisons interinsulaires. Vous avez de nombreux vols quotidiens entre Pointe-à-Pitre et Fort-de-France, en 30–50 min.

Sur les vols réguliers au départ de Paris, les enfants de 2 à 12 ans paient demi-tarif. Les jeunes (de 12 à 22 ans) se renseigneront sur les avantages offerts par le tarif «spécial déposé». Il existe aussi un tarif «excursion», valable de 14 jours à 3 mois (prix moins élevés du 1er octobre au 14 juin). Renseignez-vous enfin au sujet du tarif «vacances», plus avantageux que le tarif «excursion» (réservation, émission et règlement du billet aller-retour se font simultanément).

Des charters aux voyages organisés

S'il existe des vols charter à destination des Antilles au départ de plusieurs pays européens, la situation est des plus fluctuantes. Votre agent de voyages est en mesure de vous renseigner à cet égard.

En ce qui concerne les voyages organisés, de nombreuses possibilités vous sont offertes en toute saison. Il est possible de séjourner par exemple une semaine à la Martinique ou à la Guadeloupe, et une semaine aux Saintes, à la Désirade, à Saint-Martin ou à Saint-Barthélemy. De nombreuses croisières (en voilier pour les amateurs) vous sont également proposées.

PAR MER

C'est la bonne solution si vous avez tout votre temps. Hélas, l'époque des grands paquebots (sauf pour les croisières) est révolue. Les amateurs auront toutefois la ressource de voyager à bord d'un… bananier, en partant de Dunkerque, du Havre, voire de Bordeaux. (10–12 passagers, en cabines très confortables.) Le voyage demande une huitaine de jours. Il y a généralement (au moins) un bateau par semaine.

Quand y aller

Aux Antilles, qui jouissent d'un climat tropical, vous pourrez vous baigner toute l'année.

On distingue deux saisons. L'une, humide, va de mai–juin à novembre. C'est l'«hivernage». Si vous devez voyager à cette période, évitez les régions accidentées, généreusement arrosées. Les côtes sous le vent et, en général, les régions basses et calcaires sont beaucoup moins humides. Le reste de l'année, c'est le «carême», ou saison sèche. Il pleut plus rarement et les pluies se limitent en général à de courtes ondées, en particulier sur les reliefs et les côtes au vent. La période idéale va approximativement du 15 décembre au 15 avril.

	J	F	M	A	M	J	J	A	S	O	N	D
Température de l'air	24	24	24	25	26	27	27	27	27	26	26	25
Température de l'eau	22	23	24	25	25	25	26	26	25	25	25	24

Informations pratiques classées de A à Z pour un voyage agréable

Ce qui semblera évident aux Français ne l'est pas toujours aux étrangers – même francophones. Voici donc quelques informations d'ordre général, qui seront sans doute fort utiles à toute personne posant pour la première fois le pied en Guadeloupe ou à la Martinique!

A

AEROPORTS. L'aéroport du Raizet, en **Guadeloupe,** est l'un des plus modernes des Antilles. Il peut accueillir des Boeing géants. Il n'est situé qu'à environ 3 km. de Pointe-à-Pitre et à 8 km. de la région touristique de Gosier, mais reste passablement éloigné des autres zones hôtelières. Des autobus relient Le Raizet à Pointe-à-Pitre tous les quarts d'heure. On peut aussi prendre un taxi, mais ce mode de transport est très cher ici. Pour plus d'informations, adressez-vous au service d'accueil.

Quelques porteurs offrent leurs services, tandis que des chariots à bagages sont mis à la disposition des voyageurs qui trouveront également une poste, un bureau de change (ouvert du lundi au samedi), un bar climatisé et des boutiques hors taxes.

Les Saintes, Marie-Galante, la Désirade et Baillif (en Guadeloupe) sont dotés d'aérodromes pour avions de tourisme.

L'aéroport du Lamentin, en **Martinique,** accueille lui aussi les plus gros avions. Il est situé à environ 8 km. de Fort-de-France. Vous pourrez prendre un taxi pour gagner votre hôtel (les tarifs, élevés, sont affichés dans le hall où vous récupérerez vos bagages). Il n'y a pas de service de bus, mais – et ceci n'est annoncé nulle part – de l'autre côté de la grand-route, des taxis collectifs vous emmèneront jusqu'à la ville, quoiqu'il ne soit pas toujours facile d'en obtenir un.

A Lamentin, vous trouverez des porteurs, des chariots

à bagages et un bureau d'information pour les touristes. **A**
Sur une terrasse en plein air, vous pourrez acheter toutes
sortes de produits français hors taxes.

Tant au Lamentin qu'au Raizet, le taux que vous
obtiendrez au bureau de change sera un peu plus avantageux qu'en ville; vous trouverez aux deux endroits un
bureau de location de voitures, des restaurants, etc.

A **Saint-Martin,** la partie française ne dispose que du
modeste aérodrome de l'Espérance, où se posent les
petits avions assurant la liaison avec la Guadeloupe et
Saint-Barthélemy. Les vols internationaux rallient
l'aéroport Juliana (partie hollandaise), qui est situé à
une dizaine de kilomètres de Marigot. Il est facile, du
moins dans la journée, de trouver un taxi pour aller d'un
aéroport à l'autre. On trouve à Juliana des boutiques
hors taxes (comme toutes celles de l'île), un bar et un
snack-bar, un bureau de location de voitures (notez que
vous ne pourrez pas prendre votre voiture à l'aéroport,
mais qu'elle vous sera «livrée» à votre hôtel.

Le moderne aéroport international de **Saint-Barthélemy**
est doté d'un bar, d'un restaurant, de magasins et d'agences de location de voitures.

Vous ne paierez pas de taxe d'embarquement dans les
aéroports français. En revanche, à l'aéroport Juliana,
une taxe modique est perçue.

ANIMAUX FAMILIERS et VETERINAIRES. On lais-
sera entrer votre chien ou votre chat aux Antilles françaises si vous présentez soit un certificat de bonne santé
établi moins de 5 jours avant votre départ, mentionnant
que votre pays d'origine n'a pas eu de cas de rage durant
les 3 dernières années, soit un certificat de vaccination
contre la rage datant d'un mois au moins, d'un an au
plus. Assurez-vous que l'hôtel que vous aurez choisi
accepte les animaux. Il y a des vétérinaires dans les principales îles; renseignez-vous à l'Office du Tourisme.

A

AUTO-STOP. Il est autorisé partout; il ne présente aucun risque et c'est un moyen très populaire de visiter les îles.

B

BANQUES et BUREAUX DE CHANGE. Les heures d'ouverture des banques varient d'une île à l'autre. Mais elles sont habituellement ouvertes de 8 h. à 15 h. en été et de 8 h. à midi et de 14 h. 30 à 16 h. en hiver. Ceci du lundi au vendredi. Les banques ferment les après-midi précédant un jour férié (voir JOURS FÉRIÉS); toutes changent les chèques de voyage et les devises. Pensez à conserver quelques chèques sur vous lors de vos achats; ils peuvent vous faire bénéficier d'une ristourne de 20%. Ayez toujours une pièce d'identité avec vous pour ce genre de transaction.

Vous ne trouverez sans doute pas de bureau de change privé, mais la plupart des commerçants et des hôtels acceptent les dollars canadiens et américains (à un taux souvent très désavantageux).

Etant en territoire français, les métropolitains pourront retirer la même somme par semaine que chez eux, sur présentation de leur Carte bleue. Voir aussi CARTES DE CRÉDIT ET CHÈQUES DE VOYAGE.

BLANCHISSERIE et TEINTURERIE. Dans les grandes villes, on trouve à des prix raisonnables des blanchisseries, automatiques ou non, et des teintureries. Mais la plupart des hôtels se trouvant en dehors de ces villes, il pourrait être parfois plus commode de leur confier votre linge et vos vêtements.

C

CAMPING. En Guadeloupe, vous ne trouverez qu'un terrain de camping organisé, mais on vous permettra de planter votre tente sur les plages publiques et dans le Parc naturel. En Martinique, vous aurez le droit de camper presque partout, mais il existe quelques terrains aménagés. Le matériel nécessaire peut se louer ou s'acheter à Fort-de-France. A Saint-Martin, le camping est autorisé, mais il n'y a pas de terrains spécialement prévus à cet effet. A Saint-Barthélemy, une telle activité est interdite. Adressez-vous à la mairie de l'endroit pour de plus amples informations.

CARTES DE CREDIT et CHEQUES DE VOYAGE.

Les chèques de voyage sont couramment acceptés, et vous pourrez utiliser vos cartes de crédit dans plusieurs hôtels, magasins et agences de location de voitures. Les touristes, même métropolitains, bénéficieront souvent d'une remise de 20% dans les magasins de Pointe-à-Pitre, s'ils payent en chèques de voyage; la même remise est accordée dans de nombreux magasins de la Martinique à ceux qui payent avec une carte de crédit. Les touristes étrangers n'auront donc pas à se munir de beaucoup d'argent français. A Saint-Martin et à Saint-Barthélemy, ni chèques de voyage ni cartes de crédit ne vous permettront d'obtenir des prix inférieurs à ceux qu'offre déjà le régime hors-taxes.

CARTES ROUTIERES.

Il existe d'excellentes cartes des différentes îles publiées par l'Institut Géographique National (I.G.N.), en France. Vous pourrez acheter la carte n° 510 qui couvre la Guadeloupe et la carte n° 511 pour la Martinique. Les cartes figurant dans ce guide sont de Falk-Verlag, à Hambourg.

Par ailleurs, de bons plans de Fort-de-France et de Pointe-à-Pitre vous seront remis à l'Office du Tourisme de chacune de ces villes.

CIGARETTES, CIGARES, TABAC.

Les cigarettes américaines et anglaises, à Saint-Martin et à Saint-Barthélemy, sont vendues hors-taxes: en d'autres termes, à des prix défiant toute concurrence! La situation est loin d'être la même à la Guadeloupe et à la Martinique, où les tabacs sont deux fois plus chers et où, seules, les marques françaises demeurent avantageuses. Vous trouverez également des cigares cubains si, du moins, vous pouvez vous les offrir... Heureusement, les cigares en provenance d'autres pays sont nettement moins chers.

COIFFEURS. Vous trouverez les salons de coiffure antillais pour messieurs plutôt modestes, du moins selon les critères européens. Quant aux salons pour dames, ils jouent un rôle si important sur le plan social – ce sont là... les «derniers salons où l'on cause» – qu'il est prudent de prendre rendez-vous suffisamment tôt.

Il est d'usage de laisser un pourboire de 10–15%.

CONDUIRE AUX ANTILLES FRANÇAISES. Voir aussi LOCATION DE VOITURES. On n'en conviendra pas officiellement, mais il arrive qu'une vache ou une chèvre se promène sur l'autoroute qui part de Fort-de-France. Certaines routes sont très bonnes, d'autres très défoncées. Les virages sont souvent dangereux en terrain montagneux. Conduire vite, c'est courir au désastre: vous partagerez la route avec d'autres touristes, des animaux, des tracteurs et d'énormes semi-remorques chargés de canne à sucre.

Nécessaires pour drainer les pluies torrentielles qui tombent parfois, les profonds fossés qui bordent les routes peuvent également être dangereux, surtout si celles-ci sont étroites.

Vous rencontrerez quelques signaux routiers internationaux, mais en général les indications utiles comme l'annonce de virages, de villes ou de villages, font défaut. Les gens seront ravis de vous mettre sur le bon chemin, quittes à monter à côté de vous pour être sûrs que vous arriverez à destination.

CONSULATS

En cas de problèmes, les Français se rendront à la:

Préfecture de la Guadeloupe: Palais d'Orléans, rue Lardenoy, 97109 Basse-Terre Cedex, tél. 81 15 60.

Préfecture de la Martinique: rue Victor-Sevère, 97262 Fort-de-France Cedex, tél. 663 18 61.

Les Belges bénéficient de deux consulats:

A la Guadeloupe: 17, rue Frébault, 97152 Pointe-à-Pitre, tél. 82 02 18.

A la Martinique: 46–48, rue Ernest-Deproge, 97200 Fort-de-France, tél. 60 54 55 et 71 61 78.

La Suisse et le Canada n'ont pas de représentation diplomatique aux Antilles.

COURRIER. Le service postal fonctionne en général merveilleusement bien. Une lettre par avion, venant d'Europe ou d'Amérique du Nord, ne mettra pas plus de 4 ou 5 jours pour parvenir à votre hôtel. Il existe une poste restante dans les bureaux des villes, mais les touristes s'en servent peu car les hôtels en sont ordinairement assez éloignés.

DECALAGE HORAIRE. Aux Antilles françaises, il n'y a pas de changement d'heure au cours de l'année. Voici les décalages horaires entre quelques villes (hiver).

Montréal	Antilles	Paris	Bruxelles	Genève
11 h.	**midi**	17 h.	17 h.	17 h.

DELITS et VOLS. C'est peut-être là une des informations les plus agréables concernant les «Isles»: les délits y sont extrêmement rares. Pas de voyous. Pas d'attaques à main armée. Une vague d'actions criminelles est aussi

D inconcevable qu'une tempête de neige. Si un vol mineur a lieu, il s'agira plutôt d'un casier à langoustes que d'un sac à main. Ne soyez pourtant pas totalement imprudent et si vous avez des bijoux ou objets de valeur, mettez-les à l'abri dans le coffre de votre hôtel.

DOUANE. Vous pouvez emporter avec vous, en quantité raisonnable, vos vêtements et objets personnels, y compris appareil photographique et caméra (10 films pour chaque), équipement sportif, poste de radio, etc.

Le tableau ci-après vous indique les principaux articles que vous pouvez importer aux Antilles, ou exporter sur le chemin du retour, en franchise:

Entrée:	cigarettes	cigares	tabac	alcool	vin
Antilles (1)	400 ou	100 ou	500 g.	1 l. et	2 l.
françaises (2)	200 ou	50 ou	250 g.	1 l. et	2 l.
Belgique Suisse Luxembourg	200 ou	50 ou	250 g.	1 l. et	2 l.
Canada	200 et	50 et	900 g.	1,1 l. ou 1,1 l.	

(1) Personnes venant d'un pays hors du Marché commun.
(2) Personnes venant d'un pays de la C.E.E. avec des marchandises achetées hors taxes.

Les personnes en provenance de la **France métropolitaine** ne sont soumises à aucun contrôle douanier.

Prescriptions monétaires. Il n'existe aucune limite à l'importation et à l'exportation de monnaies locale ou étrangères ou de chèques de voyage. Toutefois, les montants de plus de 50 000 francs ou leur équivalent doivent être déclarés. Voir aussi FORMALITÉS D'ENTRÉE.

D

DROGUE. L'usage des stupéfiants est pratiquement inexistant, mais la police veille et les peines encourues sont évidemment sévères.

EAU. L'eau est bonne dans toutes les Antilles françaises. Si vous préférez les eaux minérales à l'eau du robinet, il y a d'excellentes marques locales, et vous trouverez les principales marques de la métropole. Notez que là où l'eau provient de citernes (comme à Saint-Barthélemy), elle ne contient pas autant de sels minéraux que l'eau potable des sources ou des puits.

E

FORMALITES D'ENTREE. Voir aussi DOUANE. Pour les touristes français et canadiens (à condition pour ces derniers que leur séjour n'excède pas 21 jours), il n'est besoin que d'une carte d'identité ou d'un passeport périmé depuis moins de cinq ans. Les mineurs de nationalité française qui ne possèdent pas de passeport valide, ou qui ne sont pas enregistrés sur celui de la personne qui les accompagne, devront présenter une attestation d'autorisation de sortie qu'ils se procureront à la mairie du lieu de leur domicile. Les Belges, Suisses et Luxembourgeois auront à produire un passeport valable.

F

A noter que les touristes doivent, pour entrer aux Antilles, être porteurs d'un billet de retour.

La vaccination antivariolique n'est pas obligatoire.

GARDE D'ENFANTS. Votre hôtel pourra probablement vous fournir une garde d'enfants, en général un ou une étudiant(e). S'il y a une crèche dans la localité où vous séjournez, vous pouvez également vous adresser à la personne responsable.

G

G   **GUIDES.** Les agences de tourisme procurent des guides pour les excursions en groupe, mais non pour les excursions individuelles. En Guadeloupe comme en Martinique, votre hôtel ou l'Office du Tourisme trouvera certainement quelqu'un pour vous accompagner. Voir aussi OFFICES DU TOURISME.

H   **HABILLEMENT.** Quoi que vous emportiez, ce sera toujours trop. Il vous suffit de prendre des vêtements légers et faciles à porter. La mode de la Côte d'Azur fait quelques timides efforts pour s'implanter dans ces îles tropicales, mais le style reste toujours très décontracté. Même au casino (excepté dans la partie hollandaise de Saint-Martin), on n'exige pas des hommes qu'ils portent veste et cravate.

Les femmes emporteront des pantalons et des jupes longues pour le soir, des sandales et des chaussures confortables pour la marche.

HÔTELS et LOGEMENT. Les Antilles françaises disposent d'un grand nombre de chambres d'hôtel ainsi que de chambres chez l'habitant. C'est là un gros progrès par rapport à la situation de 1970, date à laquelle le tourisme a pris son essor.

Selon leur catégorie, les hôtels affichent des étoiles sur leur panonceau, comme en métropole. Mais qu'un établissement n'ait pas d'étoiles ne veut pas dire qu'il soit à éviter. La plupart des hôtels sont relativement petits et beaucoup sont des entreprises familiales. Les Offices du Tourisme de Pointe-à-Pitre et de Fort-de-France tiennent à jour une liste des hôtels comportant aussi les prix et adresses des villas et bungalows à louer.

Les hôtels de villégiature sont en général sur la côte ou sur des collines d'où l'on domine la mer. Vous y prendrez sans doute presque tous vos repas car ils sont assez éloignés des grands centres. Si l'agitation citadine vous manque, rendez-vous dans les villes, où les hôtels qu'utilisent les visiteurs en voyage d'affaires sont beaucoup plus animés.

Pendant la saison (de la mi-décembre à la mi-avril), les tarifs augmentent de 40%, et il est indispensable de réserver les chambres à l'avance. Le reste de l'année, on trouve facilement à se loger. Les hôtels appliquent en général l'une des formules suivantes:

PE/EP *(Plan européen):* chambre seule

PC/CP *(Plan continental):* chambre avec petit déjeuner (à l'européenne ou à l'américaine)

PAM/MAP *(Plan américain modifié):* chambre, petit déjeuner et dîner (demi-pension)

PA/AP *(Plan américain):* chambre et trois repas (pension complète)

Le prix d'une chambre pour une personne peut représenter 80% de celui d'une chambre pour deux personnes. Les 10% de service ne sont pas toujours inclus dans les prix indiqués.

JOURNAUX et REVUES. Outre le quotidien local *France-Antilles,* vous trouverez toutes sortes de publications françaises, telles que *Le Monde, L'Aurore, Jours de France, Marie-Claire* et bien d'autres titres encore.

JOURS FERIES

1er janvier	Jour de l'An
1er mai	Fête du Travail
8 mai	Armistice 1945
14 juillet	Fête nationale
21 juillet	Fête de Schœlcher
15 août	Assomption
1er novembre	Toussaint
2 novembre	Jour des Morts
11 novembre	Armistice
25 décembre	Noël

Fêtes mobiles:	Lundi de Pâques
	Ascension
	Lundi de Pentecôte

Les banques ferment à midi la veille de chaque jour férié. Pendant les trois derniers jours du carnaval (jusqu'au soir du mercredi des Cendres), tout est pratiquement fermé.

L

LANGUE. Les Antillais apprennent à l'école la langue de Balzac et de Baudelaire, mais à la maison, entre eux, ils s'expriment plus volontiers en créole. C'est une «langue» particulière, mélange de français, d'anglais, d'espagnol, de portugais et de parlers indigènes... qui varie parfois d'une île à l'autre. Ainsi, à Saint-Martin, la langue a d'autres consonances en raison des multiples couches d'immigrants; et à Saint-Barthélemy – où tout est différent d'ailleurs –, le parler est un assemblage déroutant de vieux français, de suédois, d'anglais, etc.

En tout cas, pour un non-initié, le créole est très difficile à saisir même si au passage vous croyez reconnaître un mot (qui n'aura d'ailleurs pas nécessairement la même signification que celle que vous lui connaissez).

Pour votre gouverne, voici quelques expressions et mots que vous entendrez probablement:

an manman la baleine	une grosse dame
an masseur	une religieuse
an boutik malzoreye	une boutique délabrée (qui a mal aux oreilles)
fini palé	j'ai parlé
tigoute, ti brin	un peu
bagaye	bagages
bakoua	chapeau de paille
cabrouet	charrette
canal	détroit

canari	jarre, pot à eau
carbet	habitation indigène
caye	maison
gadé	regarder
îlet	îlot
morne	montagne, hauteur
pistache	arachide, cacahuète
planteur	cocktail au rhum
priédieu	prier
trace	sentier, chemin
usine	sucrerie

Voici encore la prononciation figurée de quelques formules de politesse: *au voué* (au revoir), *bonjou* (bonjour),
bonsoué (bonsoir), *ka ou fé* (comment allez-vous?), *messi*
(merci), *pa ni ayen adan ça* (je vous en prie), *souplé*
(s'il vous plaît).

LIAISONS INTERINSULAIRES. L'idéal est évidemment d'avoir votre propre voilier ou votre propre yacht.
   A défaut, des compagnies aériennes locales assurent
des vols quotidiens entre les diverses îles et il existe certaines liaisons par bateau. Un problème éventuel: vous
ne pourrez probablement pas acheter un billet simple
pour aller visiter une autre île. Les autorités sont heu-
reuses d'avoir des touristes, mais elles se méfient de ceux
qui chercheraient à trouver du travail alors que le chômage est déjà élevé.
   Vous avez aussi la possibilité de louer un yacht (avec
ou sans équipage) sur place. A noter que des agences de
location, tant antillaises que parisiennes, sont en mesure
de vous proposer des arrangements spéciaux compre-
nant, outre (éventuellement) le vol aller-retour depuis
chez vous, la pension complète à bord, diverses excursions dans les îles et des divertissements en soirée.
   Pour les liaisons régulières par mer, voir SERVICES
MARITIMES.

L **LOCATION DE SCOOTERS.** Ce n'est guère là le meilleur moyen de transport dans ces îles où les distances sont souvent longues et le soleil toujours trop chaud! Cependant, il est parfaitement possible de louer un scooter, voire une motocyclette.

LOCATION DE VOITURES. Les bureaux de location de voitures sont légion aux Antilles et les prix pratiqués étonneront plus d'un visiteur. La plupart des voitures sont de marques françaises, mais vous pourrez aussi bien louer des modèles allemands, italiens ou japonais. Rares sont celles qui sont automatiques ou climatisées. Vous devrez être en possession d'un permis de conduire et avoir au moins 25 ans. On vous demandera un dépôt de 1000 F, en principe.

On est en territoire français, c'est dire que l'essence n'est pas bon marché...

Vous trouverez des agences de location dans les aéroports et dans certains hôtels. Les cartes de crédit sont en général acceptées.

M **MONNAIE.** On s'en doute, le franc est la monnaie de toutes les Antilles françaises. Pour qui ne connaîtrait pas le système monétaire français, le franc (F) est divisé en 100 centimes. Il y a des pièces de 5, 10, 20 et 50 centimes et des pièces de 1, 2, 5 et 10 francs; des billets de 20, 50, 100, 200 et 500 francs.

Pour les restrictions aux mouvements de devises, voir Douane.

O **OBJETS PERDUS; ENFANTS EGARES.** Quoi que vous ayez perdu, il y a toutes les chances pour que vous le récupériez. Certains chauffeurs de taxi feront une demi-douzaine d'hôtels pour tâcher de retrouver le touriste qui a oublié quelque chose dans leur voiture.

L'appareil de photo ou le guide touristique oublié au restaurant vous y attendra sagement.

Si votre enfant vous fausse compagnie, il se trouvera toujours quelqu'un pour en prendre soin.

OFFICES RELIGIEUX. Aux Antilles françaises, les catholiques représentent 80% à 90% de la population et la messe est célébrée dans toutes les îles. Les fidèles s'y rendent aussi bien le samedi soir que le dimanche matin. Pour les divers cultes protestants régulièrement célébrés, votre hôtel vous donnera des informations. Pour les heures des offices, consultez, dans les principales îles, la publication hebdomadaire destinée aux touristes. Les stations de radio diffusent tous les jours des programmes religieux.

OFFICES DU TOURISME

France: Office de Tourisme des Antilles et de la Guyane, 12, rue Auber, 75009 Paris; tél. 42 68 11 07

Belgique: Office du Tourisme français, 21, av. de la Toison d'Or, 1060 Bruxelles; tél. 512 12 80

Suisse: Office du Tourisme français, 2, rue Thalberg, 1201 Genève, tél. (022) 32 86 10; Bahnhofstrasse 16, 8022 Zurich, tél. (01) 211 30 85

Canada: Services Officiels Français du Tourisme, 1981, av. MacGill College, Suite 490, Montréal Qué. H3A 2W9; tél. (514) 288 42 64

Guadeloupe: 5, square de la Banque, B.P. 1099, 97121 Pointe-à-Pitre; tél. 82 09 30

Martinique: Boulevard Alfassa, Boîte postale 520, 97206 Fort-de-France; tél. 71 79 60

119

PHOTOGRAPHIE. Sauf dans les îles où tout s'achète hors taxes, les films sont très chers.

Pour les diapositives, les films sont habituellement envoyés en France pour le développement, ce qui suppose de longs délais; les autres films sont développés sur place.

Etant donné l'éclat du soleil, ne manquez pas d'utiliser un filtre pour obtenir de bonnes photographies couleurs. Pour vos prises de vue en extérieur, attendez la fin de la journée. Elles seront meilleures.

Protégez vos rouleaux de pellicule du climat tropical en les mettant à l'abri de la lumière et de l'humidité.

Si votre appareil photographique est relativement neuf et d'une marque coûteuse, faites-en la déclaration à la douane avant de quitter votre pays pour éviter tout malentendu à votre retour.

POSTE. Les bureaux de poste étant en général éloignés des lieux de villégiature, c'est plutôt votre hôtel que vous chargerez des opérations postales: lettres, télégrammes, télex, téléphone. Voir aussi COURRIER.

Il y a naturellement d'importants bureaux de poste à Fort-de-France et à Pointe-à-Pitre (avec services de télex) et des bureaux secondaires dans les villages d'où vous pourrez envoyer lettres et télégrammes.

POURBOIRES. Il n'y a pas si longtemps, offrir un pourboire à un Antillais était en quelque sorte l'offenser. Les choses ont changé avec le tourisme. Il faut en général donner 10% de pourboire, mais en principe pas aux chauffeurs de taxi, vu les tarifs très élevés. La femme de chambre de votre hôtel n'attend pas nécessairement que vous lui donniez un pourboire mais, si vous êtes satisfait du service, elle trouvera gentil que vous lui en laissiez un – et ne s'en offensera pas comme elle l'aurait fait avant que les «bienfaits» du tourisme n'aient gagné les îles.

Voici quelques suggestions:

Coiffeurs (dames/messieurs)	10–15%
Femmes de chambre par semaine	50–100 F. (facultatif)
Porteur	5 F.
Chauffeur de taxi	5% (facultatif)
Guide touristique	10% (facultatif)
Garçon	5–10%

PRIX. Excepté pour les achats hors taxes à Saint-Martin et à Saint-Barthélemy, les prix sont extrêmement élevés.

Le prix du vin et de la nourriture est souvent surfait dans les restaurants pour touristes. Dans un établissement de luxe, sachez donc que vous risquez de dépenser une fortune pour un repas de quatre plats. Manger à la carte peut ruiner un budget. Cela est vrai surtout pour les restaurants français qui ont l'excuse d'être obligés d'importer presque tous leurs produits. Les autres, comme les nombreux restaurants créoles, sont heureusement plus abordables.

RECLAMATIONS. Selon la réclamation que vous aurez à faire, adressez-vous d'abord au directeur de l'hôtel, au patron du restaurant ou du magasin. L'Office du Tourisme de la Guadeloupe ou celui de la Martinique (voir OFFICES DU TOURISME) sont également là pour vous aider si vous avez le moindre problème.

RENCONTRES. Les Antillaises se plaignent d'être plus nombreuses que les hommes (ceux-ci doivent, en raison du chômage, aller travailler ailleurs). Cela ne veut pas dire qu'on peut facilement lier connaissance avec les jeunes filles du pays. Dans les discothèques, par exemple, elles ne

R   dansent généralement pas avec des visiteurs, pour la seule raison qu'elles prennent la danse au sérieux et n'aiment pas partager ce plaisir avec un novice.

Aucune convention rigide ne régit la vie en société. Une exception pourtant: le visiteur, l'acheteur, l'invité doit faire le premier geste envers la personne du pays et dire un mot aimable.

S   **SANTE et SECURITE.** Voir aussi SOINS MÉDICAUX et URGENCES. Ces îles sont merveilleuses pour la santé, mais ne traitez pas à la légère le soleil tropical. Vous pourriez gâcher vos vacances rien qu'en restant plus d'une demi-heure au soleil le premier jour. Même une fois bronzé, vous risquez une insolation, quel que soit votre âge si, par exemple, vous vous exposez trop longtemps pendant les heures les plus chaudes. Premier achat à recommander, par conséquent: un chapeau de paille.

Les rhumes sont fréquents chez ceux qui passent constamment d'un intérieur climatisé à la plage. Essayez de vous passer de climatisation (en particulier la nuit); la brise de l'alizé devrait suffire à vous rafraîchir.

Comme dans toutes les îles caraïbes, certains poissons peuvent causer une intoxication appelée *ciguatera*. Aussi, consultez les experts locaux avant de consommer le produit de votre pêche.

On n'a signalé autour des îles françaises aucun incident regrettable dû aux requins. Ne vous baignez cependant pas la nuit et, si vous faites de la plongée, évitez de porter des objets brillants, telle une montre ou une chaîne autour du cou.

Prenez garde à ne pas poser le pied sur un oursin: ses piquants vous laisseraient des souvenirs pénibles!

Dans ces pays aux forêts denses, on pourrait croire qu'un danger vous guette à chaque pas. Il n'en est rien, ni en Guadeloupe ni dans les îles moins importantes. En revanche, en Martinique, il y a des serpents venimeux,

les trigonocéphales, ou *fers-de-lance,* fréquents dans les
bananeraies, les champs de canne à sucre et la forêt tropicale. Les nombreux lézards que vous verrez sont inoffensifs; ils sont même utiles dans la mesure où ils se nourris-
sent de moustiques et autres insectes. Sur la plage, surtout
en fin d'après-midi, il se peut que vous fassiez la rencontre
désagréable de minuscules mouches appelées *gniens-gniens.*
Il ne vous restera plus alors qu'à battre en retraite.

Des panneaux vous mettront souvent en garde contre
les mancenilliers, arbres aux fruits ronds et verts, telles des
pommes: ils sécrètent un suc vénéneux.

Evitez, enfin, de nager dans les rivières et les étangs où
le risque d'attraper la bilharziose est réel. Rien, d'ailleurs,
ne vous mettra en garde!

SERVICES MARITIMES. Au départ de la Guade-
loupe, des vedettes assurent une liaison régulière avec
Les Saintes de bonne heure tous les matins, à partir de
Trois-Rivières; l'après-midi, en semaine, elle se fait de
Basse-Terre. Des bateaux font la navette entre Pointe-à-
Pitre et Marie-Galante à jours fixes.

En Martinique, des ferry-boats relient Fort-de-France
à la Pointe du Bout et à d'autres plages plus éloignées
(départs toute la journée et jusqu'à minuit). Il existe des
liaisons maritimes régulières entre Saint-Barthélemy,
Saint-Eustache, Saba et Saint-Martin, ainsi qu'entre la
partie française et la partie hollandaise de cette dernière.
De gros bateaux (fret et passagers) font le service entre
Pointe-à-Pitre et Saint-Martin, avec escale à Saint-
Barthélemy. Pour plus d'informations, adressez-vous
aux agences de voyages ou à l'Office du Tourisme,
tél. 82 09 30.

SIESTE. Comme il est raisonnable dans les pays tropicaux, pratiquement toute activité s'arrête pendant deux
à trois heures en début d'après-midi. Vous êtes sûr de ne

S rien manquer d'intéressant si durant cette période vous prolongez votre déjeuner au bord de la mer et allez ensuite vous étendre paresseusement sous un cocotier.

SOINS MEDICAUX. Vérifiez que votre assurance est valable à l'étranger. Sinon, vous pouvez en contracter une qui couvrira les frais d'accident, de maladie et d'hospitalisation pour la durée de votre voyage.

Votre hôtel pourra faire venir rapidement un médecin. Par ailleurs, il existe des hôpitaux et des cliniques dans les principales îles.

Dans les grandes villes, il y a toujours au moins une pharmacie de service. Vous la trouverez indiquée (ainsi que le nom des médecins de garde) dans l'édition martiniquaise ou guadeloupéenne du quotidien local *France-Antilles*. Dans les pharmacies, on trouve principalement des produits français et suisses. Voir aussi SANTÉ ET SÉCURITÉ.

T **TAXIS.** Voir aussi AÉROPORTS. Le chauffeur de taxi qui vous conduira de l'aéroport du Raizet à votre hôtel ne vous cachera pas que les taxis guadeloupéens sont vraiment les plus chers du monde. On pourrait dire la même chose de ceux de la Martinique. Dans ces deux îles, le tarif selon les distances est affiché dans les aéroports, par exemple, et figure dans les brochures hebdomadaires d'information. Le tarif de nuit est plus élevé. Les chauffeurs n'attendent pas de pourboire. A Saint-Martin et à Saint-Barthélemy, les taxis sont moins onéreux.

Pour les taxis collectifs, voir TRANSPORTS EN COMMUN.

TELEPHONE. Dans presque toutes les îles, et entre la Guadeloupe et la Martinique, le téléphone est automatique. Pour les communications avec l'Europe ou l'Amérique du Nord, aux heures de pointe, il y aura parfois jusqu'à une demi-heure d'attente. Les méchantes langues disent qu'il n'y a qu'une seule ligne entre la partie française et la partie hollandaise de Saint-Martin; c'est sans doute pour cela qu'il vaut mieux renoncer à obtenir une communication!

TOILETTES. Vous trouverez dans presque toutes les villes des toilettes publiques; dans celles-ci comme un peu partout, des silhouettes indiquent quelle porte est réservée aux femmes, quelle porte aux hommes.

TRANSPORTS EN COMMUN. En Guadeloupe et à Saint-Martin, vous trouverez un bon réseau de minibus efficaces et bon marché.

En Martinique, les transports publics se font surtout par taxis collectifs, pratiques, eux aussi, et peu coûteux. Circuler individuellement en taxi, par contre, peut revenir dix fois plus cher qu'utiliser les transports publics – et fait manquer une occasion de côtoyer les Antillais. Voir aussi Taxis.

URGENCES. Les numéros suivants vous seront utiles en cas d'accident, de sinistre, de maladie nécessitant une intervention immédiate:

	Police	Gendarmerie	Ambulance	Pompiers
Guadeloupe Pointe-à-Pitre	820005	820920	824646	820028
Basse-Terre	811155	811035	–	811191
Martinique Fort-de-France	17	715135	715948	18

Index

Les numéros des pages suivis d'un astérisque renvoient à une carte. Les abréviations GT et BT signifient respectivement Grande-Terre et Basse-Terre. Enfin, le sommaire des *Informations pratiques* figure en page 2 de la couverture.